PARE DE SE ODIAR

PARE DE SE ODIAR

ALEXANDRA GURGEL

7ª edição

Rio de Janeiro | 2020

CIP-BRASIL. CATALOGAÇÃO NA PUBLICAÇÃO
SINDICATO NACIONAL DOS EDITORES DE LIVROS, RJ

G987p
7ª ed.

Gurgel, Alexandra
Pare de se odiar: porque amar o próprio corpo é um ato revolucionário /
Alexandra Gurgel. – 7ª ed. – Rio de Janeiro: Best Seller, 2020.

ISBN 978-85-465-0128-1

1. Autoestima. 2. Autoaceitação. I. Título.

CDD: 158.1
CDU: 159.947

18-51594

Vanessa Mafra Xavier Salgado – Bibliotecária – CRB-7/6644

Texto revisado segundo o novo Acordo Ortográfico da Língua Portuguesa.

Pare de se odiar: porque amar o próprio corpo é um ato revolucionário
Copyright © 2018 by Alexandra Gurgel

Todos os direitos reservados. Proibida a reprodução,
no todo ou em parte, sem autorização prévia por escrito da editora,
sejam quais forem os meios empregados.

Direitos exclusivos de publicação em língua portuguesa para o mundo
adquiridos pela
Editora Best Seller Ltda.
Rua Argentina, 171, parte, São Cristóvão
Rio de Janeiro, RJ – 20921-380
que se reserva a propriedade literária desta edição

Impresso no Brasil

ISBN 978-85-465-0128-1

Seja um leitor preferencial Record.
Cadastre-se no site www.record.com.br e receba informações
sobre nossos lançamentos e nossas promoções.

Atendimento e venda direta ao leitor
sac@record.com.br

Já ouviu aquela frase "o que você busca está buscando por você"?
É disso que se trata.

Dedico este livro a todas as mulheres que desejam dar um grito de liberdade em direção ao ato mais revolucionário deste século: amar o próprio corpo.

SUMÁRIO

PREFÁCIO	11
1. MINHA HISTÓRIA	15
2. COMO EU DESCOBRI QUE ME ODIAVA	27

Por que eu não queria, de fato, ter silicone e como eu desejei
ser a Sandy — 29

Construção social: como a sociedade faz você não querer ser você — 31

O machismo é a raiz dos problemas — 35

O nascimento da pressão estética — 40

O corpo é um produto? — 48

"Garotas bonitas não comem": uma vida baseada em transtornos
alimentares — 52

O Instagram fez brilhar uma nova categoria de influenciadores:
as musas fitness — 54

Autoestima corporal destruída — 77

Ódio-próprio: você se machuca, sente a dor, sofre as consequências
e não sabe parar — 80

Gordofobia: ela existe e não é piada — 76

"Muito legal esse lance de se aceitar; mas você sabe que obesidade
é doença, né?" — 88

#GordofobiaNãoÉPiada — 92

3. AUTOCONSCIÊNCIA E BODY POSITIVE	96

A opinião dos outros não define quem você é — 104

Todos os caminhos me levaram ao body positive — 108

Se todos os corpos são bonitos, existe gente feia? — 110

Beleza é um sentimento? — 115

Body positive × conformismo 118

Consciência corporal 119

FAQ/Perguntas mais frequentes sobre body positive 120

Você é muito privilegiada 126

4. COLOCANDO EM PRÁTICA O AMOR-PRÓPRIO 127

5. MINHA HISTÓRIA CONTINUA 151

AGRADECIMENTOS 153

PREFÁCIO

A única certeza que eu sempre tive na vida sobre mim é que eu escrevo bem. Modéstia à parte. Eu escrevo bem não é porque eu nasci tocada pelo dom da escrita, mas porque eu nunca parei, eu sempre li, estudei e principalmente acreditei no que estava fazendo. Prática que chama, talvez? Com uma boa e generosa dose de amor. Meu nome é Jéssica, sou amiga da Alexandra e vou abrir este livro aqui com você não porque eu sou amiga dela — também por isso —, mas principalmente porque ela confia em mim e eu nela. E este livro é sobre confiança.

A gente se conheceu antes de eu entrar na faculdade de Jornalismo da PUC-Rio, em 2007. Alguns amigos em comum, saídas em comum e de repente ela estava lá na minha casa e eu na dela. Amizade é uma coisa louca, né? O que faz você conviver com uma pessoa e quando você vê, ela faz parte da sua vida de uma maneira tão forte? O que faz você pensar que pode dividir qualquer sentimento, qualquer vivência, qualquer dor com uma pessoa dentre milhares de outras que existem no mundo? Nossa rede social da vida real é uma eterna construção de laços importantes para moldar nossos microcosmos de segurança. Primeiro temos nossa família, que nos é dada e que aprendemos a lidar e amar; depois nossos amigos, que temos a oportunidade de escolher. Eu escolhi a Ale porque com ela me sinto em casa com os pés descalços e ela também. Apesar de muitas vezes eu ter tido vontade de dar uma voadora na cara dela.

Temos pontos em comum e pontos completamente opostos de personalidade. Posso afirmar que, nas vezes que pensei que iríamos nos afastar, eu precisei exercitar dentro de mim o olhar para as nossas diferenças, colocar uma lanterna sobre elas e ver o quanto é bonito e precioso enxergar no outro, sob a luz da reflexão, traços que são importantes de se manterem e serem trabalhados. Eu sabia que para ela esse exercício era extremamente difícil. Fiz por nós e pelo que a gente representava uma para a outra. Tenho certeza de que ela ponderou também, de forma pessoal, considerar manter ou não no círculo de amizade dela esta menina aqui que vos escreve, fala baixo, pouco, e que constantemente ela tem vontade de dar um tapão nas costas para desengasgar algumas palavras.

Passamos por diversas fases. As de beber sem pensar no dia seguinte. Destruir estabelecimentos e levar um pedaço da parede para casa. As de conversar sobre o quanto nos sentíamos alheias a este mundo e por que, Deus, não éramos escolhidas dentre todas as outras meninas na balada? As fases de distâncias ideológicas quando ela se conectou com a Igreja. Quando ela precisou se agarrar ao metafísico para sobreviver fisicamente e mentalmente. As fases de autoconhecimento e dúvidas sobre o nosso papel social e espiritual neste planeta e as descobertas... de que realmente a gente não sabe nada deste mundo e vamos continuar procurando saber, sem grandes pirações.

Alexandra sempre foi um furacão, capaz de passar por cima de qualquer pessoa ou argumento; uma força da natureza que você não vai conseguir parar com coisas rasas, sem fundamento, preconceito, xingamento ou depreciação. Um maremoto que vai te afogar se você entregar o mínimo que ela espera. Ela não trabalha com o mínimo. Para ela não dá para viver na superfície. Moramos fora do Brasil e passamos por um terremoto em San Diego, na Califórnia — foram apenas alguns segundos, mas vale para manter ativa a metáfora do parágrafo. Vivemos nossa fase consumista norte-americana, moramos em Nova York, fizemos vídeos na neve e nos entupimos de porcaria porque era mais barato. Moramos juntas no Brasil e quase paramos de nos falar para sempre.

Posso dizer que foi nesse momento o *turning point* da nossa história até agora. Foi difícil, viu? Foi difícil pra caramba. Eu tinha acabado de conseguir o emprego até então mais importante da minha carreira, estava completamente desestabilizada, e, minha gente, essa mulher aí teve como meta fazer eu gritar com ela e mandar ela tomar no cu com raiva. E é óbvio que ela conseguiu. Ela falou com essas palavras que o objetivo era me deixar com raiva. Ela me fez brigar com ela. Logo eu, a personificação da paciência. Mas sabe... eu precisei. Liguei a lanterna da reflexão mais uma vez. Eu precisei para entender que as pessoas esperam troca e ela só queria escutar que, apesar de dividir um apartamento não ter dado certo como a gente esperava, ela era importante para mim. Não adianta a gente só saber. A gente precisa escutar do outro. Posso dizer com convicção que essa foi a segunda vez que eu aprendi a falar na vida. Uma nova alfabetização, com um belo porradão nas costas.

Eu vivi a vida inteira controlando o meu peso e ela também. Vivemos questionando nossa aparência e a real importância disso para as pessoas. Eu tive distúrbios alimentares e ela também. Vivi fases de depressão e ela também. Em momentos diferentes da vida, passamos pelas mesmas situações. Em intensidades diferentes. Assim como passamos por coisas distintas que a outra não passou. Alexandra quase se despediu deste mundo. Eu vivi um relacionamento abusivo durante quase cinco anos. Nossa amizade curou muitas questões que, sozinhas, não teriam cicatrizado em nenhuma das duas. Nossa luta para encontrar respostas sobre o que somos e fizeram de nós não seria tão forte se estivéssemos separadas.

Por que eu estou contando a nossa história? Porque, do alto dos nossos vinte e tantos anos, é a única coisa que temos genuinamente nossa. Ainda tem muita coisa para rolar? Com certeza. Mas essa é a nossa única posse. O conhecimento e o aprendizado ao longo dos anos, que nos tornam seres humanos vivos e prontos para fazer a diferença. Caminhamos em busca da troca e do diálogo porque fomos silenciadas durante muito tempo. Sentimos muita dor escondidas. Questionamos nosso valor e nosso espaço e estamos aqui para sermos ouvidas. Não só eu e ela. Todas nós mulheres. Só o amor constrói pontes indestrutíveis, como diria o mestre.

Ao longo deste livro você vai passar por diversos estágios. Primeiro, você vai entender um pouco da história da Alexandra. A partir dela, vai começar a entender o que o meio social tem a ver com tudo que ela sentiu e construiu dentro dela com ódio. Não vou negar que você vai sentir ódio também, ao olhar em volta e refletir sobre a sociedade e o peso dela na sua vida e nas suas escolhas. Depois, você vai começar a pensar em transformar esse sentimento dentro de você, já que ele foi construído também por fatores externos e não vale a pena nutrir essa energia negativa para a sua vida. Você vai entender que é mais produtivo se amar porque, de fato, é a única coisa que está ao seu alcance. Com esse amor dentro de você, seu olhar será mais crítico para olhar para fora e tratar todo o resto com respeito e compreensão.

É uma jornada complicada? Sim. Muito complicada. Nas suas mãos está a responsabilidade sobre quem você é e quem você vai ser. Mas, ao contrário do que achamos durante todas as quedas, não estamos e não precisamos estar sozinhas. Nós somos maioria, nós somos mulheres que nunca mais vão ficar escondidas embaixo do teto do medo. Como eu falei no início, confie. Confie nela e confie em você. A caminhada é longa, mas você não vai se arrepender. Seja bem-vinda.

Jéssica Quadros

1
MINHA HISTÓRIA

Este livro contém dicas que eu daria para as minhas melhores amigas de acordo com o que eu vivi. E, como minha amiga, que agora você é, eu preciso começar contando a minha história.

Eu me odiei por 26 anos. Aprendi desde a infância a me odiar. Quando eu comecei a aprender a falar, já sabia dizer palavras como "bonita" e "feia". E não demorou muito para eu entender que ser gorda significava que eu era feia e precisava emagrecer para ficar bonita. Foi realmente bem cedo que isso rolou. E, antes que você culpe alguém da minha família, eu te falo: leia este livro.

Eu sempre fui gorda. Aos 9 anos de idade conheci o meu primeiro endocrinologista, afinal ser gorda nessa idade já passava do "ai que bonitinho" para "temos um problema". Então, para mim, eu era de fato um problema. E isso se agravava com a falta de pessoas como eu ao meu redor, na televisão, nos desenhos, em todos os lugares. Não tinha ninguém que se parecia comigo. Entendi, assim, que eu era a pessoa que precisava se encaixar e parecer com as outras, magras. Eu não me achava normal, achava que tinha um problema no cérebro que me fazia comer demais e ser diferente, grande.

Conforme eu crescia, o colégio se tornava um ambiente hostil. Os meninos me olhavam torto, as meninas riam de mim quando eu me aventurava com algo novo no cabelo ou uma maquiagenzinha, e nas festas de 15 anos eu me sentia péssima por ter que usar roupa de adulto enquanto todos os outros estavam com roupinhas adequadas à sua idade e bem na moda da épo-

> Quando eu comecei a aprender a falar, já sabia dizer palavras como "bonita" e "feia". E não demorou muito para eu entender que ser gorda significava que eu era feia e precisava emagrecer para ficar bonita.

ca. Eu escolhia peças que pareciam com algo que uma adolescente usaria, mas me sentia muito mal por, mais uma vez, não fazer parte, não poder ser igual.

Sempre falo que sofri bullying na escola, mas durou muito pouco tempo. Nos primeiros atos de bullying contra mim eu rapidamente descobri como evitá-los: praticando o mesmo. Assim, me tornei uma adolescente que "zoava" a si mesma, num processo autodepreciativo; e aos outros, para evitar qualquer tipo de ataque. Quer melhor maneira de se defender do que atacando? Pois é. Colégio, meus amores. Sobrevivência. Essa foi a estratégia que eu aprendi para passar por essa fase tão difícil e crucial no desenvolvimento da minha personalidade e autoestima.

Logo me desenvolvi bastante em esportes, principalmente handebol, e me tornei capitã do time da escola. Por imprimir a imagem de valentona e dona de si, ganhei uma certa popularidade. Na real, as pessoas tinham medo de mim, até porque muitas amiguinhas achavam que eu era lésbica só porque nunca tinha me relacionado com nenhum cara ainda, mesmo sentindo atração. Isso me fez questionar demais a minha sexualidade e também achar que eu era masculina, que eu parecia um homem. De toda maneira, encontrei no esporte uma forma de me destacar e me sentir parte de um grupo. Além disso, foi também um jeito de extravasar positivamente a agressividade que se desenvolveu em mim.

Enquanto eu ainda não tinha vivido nenhum tipo de relacionamento, todos no colégio já haviam beijado, todos tinham histórias para contar de finais de semana na praia, diversões adoidadas, e eu não. Todos pareciam viver e eu não, pois estava sempre em busca do corpo certo para iniciar minha vida.

Em paralelo, eu lia muito. Às vezes lia um livro por dia, até porque matava muita aula para ficar em casa longe das pessoas. Os livros se tornaram meus melhores amigos, uma companhia perfeita para me tirar da realidade e levar para outras histórias e vivências. Ou seja, eu fugia da minha vida. Mas, como tudo tem dois lados, esse fato ajudou bastante na minha construção intelectual. Aos 12 anos já havia decidido que queria cursar Jornalismo e coloquei esse desejo como foco em minha vida.

Nessa mesma época chegou a internet. Meu primeiro contato com o Google me fez pesquisar artigos sobre emagrecimento, e logo caí em sites e blogs sobre Ana e Mia, apelidos de dois distúrbios alimentares, anorexia e bulimia, respectivamente. Tentei praticar tudo que ensinavam ali, formas de parar de comer, dicas de como evitar se alimentar em público ou jogar fora a comida, de só mastigar e depois cuspir, maneiras simples de vomitar, exercícios extenuantes...

Entrei em um mundo sombrio de pessoas que se odiavam e precisavam, a todo custo, de um corpo esquelético. A partir disso meu foco se tornou ser muito magra, com ossos aparecendo, e só me sentia satisfeita quando um osso "saltava". Não que isso tenha acontecido mais de uma vez. O único osso meu que já foi proeminente foi o do ombro. Ainda era muito pouco.

Comecei, a partir daí, a ter uma visão totalmente distorcida de mim mesma. Dividia o meu dia entre ler livros e dormir para não comer. Só que, antes de dormir, eu me imaginava mais magra, do jeito que eu queria ser, e passei a acreditar que já aparentava ser daquela forma. Assim se iniciou um processo de ódio contra o espelho. Eu não me olhava, evitava ficar muito tempo em frente a ele, pois sempre que me via tomava um susto. A imagem refletida era diferente da que eu almejava.

> **Eu desejava ser anoréxica, desejava ser bulímica e me sentia fracassada por não conseguir seguir com todas as dicas.**

Vivi muito tempo satisfeita com minha imaginação, presa no meu mundo, e não tinha ninguém para falar disso, nem com as terapeutas que já frequentava... Desde os 14 anos comecei a tratar depressão, pois foi a época que meu avô materno morreu, e fazia terapia, mas era algo que nunca dava certo, eu fazia e parava, não seguia o tratamento focado no assunto principal: o meu corpo.

Porque eu tratava esse assunto como algo que era só meu, uma anomalia. Eu tinha medo de descobrirem e acabarem com a minha felicidade utópica. Eu desejava ser anoréxica, desejava ser bulímica e me sentia fracassada por não conseguir seguir com todas as dicas. Até porque as pessoas que escreviam os blogs e participavam de fóruns sobre Ana e Mia não eram muito unidas. Bastava uma dizer que não havia conseguido vomitar ou ficar sem comer que já era expulsa das conversas. Eu não via apoio nem dentro daquele submundo cruel só porque não conseguia praticar tudo o que ensinavam.

A essa altura o meu processo depressivo já havia sido 100% instaurado, principalmente porque, na mesma época, o carinha pelo qual eu era apaixonada no colégio havia me chamado para sair. Ele era bv (boca virgem, ou seja, nunca tinha beijado ninguém), eu também, e isso era um verdadeiro sonho sendo realizado na minha frente. Finalmente alguém me reconheceu como uma pessoa interessante e eu poderia ser feliz! Alguém iria me salvar das minhas dores e angústias. Eu poderia amar, ter meu príncipe encantado e pisar nas "inimigas" que diziam que eu não conseguiria...

O sonho durou pouco. Não consegui aceitar o convite, pois ele era muito mais magro do que eu e, assim que eu neguei, ele marcou com outra menina (magra) e saiu com ela. Fazia mais sentido para mim. Mesmo estando apaixonada, não podia permitir que ele ficasse comigo, um ser desprezível, que não merecia ser amada e devia aprender a ficar bonita. Eu devia ser como a menina com quem ele ficou. Eu devia ser magra. Ele estava certo em partir logo para outra; a culpada era eu... Era o que eu pensava enquanto praticava a primeira autossabotagem da qual tenho lembrança.

Assim eu tive certeza, por volta dos 14/15 anos, que minha vida só aconteceria quando eu estivesse, de fato, magra. E, acostumada com meu mundinho solitário e paralelo, me privei de viver qualquer coisa: relacionamentos, novas amizades, descobertas, tudo. Eu vivia a minha vida resumida à família e aos amigos que já estavam presentes. O mais engraçado é que ninguém diria isso. Eu aparentava ser superpopular, ter muitos amigos, era aplaudida nos jogos de handebol, fui eleita a melhor jogadora, tinha uma imagem superconfiante, era engraçada, divertida, mas no fundo era tudo aparência mesmo. Eu estava cada vez mais infeliz, cada vez com menos vontade de viver.

E essa vontade só crescia. Eu não via mais motivos para continuar viva. Não me sentia útil, não me sentia parte de nada. Só sentia ódio por mim mesma. Ódio por não ser como as outras, por não conseguir fazer o que todo mundo fazia, e tudo isso porque existia "algo de errado no meu cérebro" que não me deixava emagrecer. Eu me achava uma aberração, e acabar com a minha vida seria a melhor solução para os meus problemas.

Cheguei ao fundo do poço e me senti confortável ali dentro, sabe? E, assim, voltei para a internet, dessa vez para pesquisar formas fáceis de morrer. Ter chegado a esse buraco parecia um caminho sem volta, o meu destino, e desde então acabar com a minha vida se tornou algo que era apenas questão de tempo. E realmente foi.

> **Eu aparentava ser superpopular, ter muitos amigos, era aplaudida nos jogos de handebol, fui eleita a melhor jogadora, tinha uma imagem superconfiante, era engraçada, divertida, mas no fundo era tudo aparência mesmo.**

No âmbito dos relacionamentos, a minha vida não acontecia. Era tudo pela internet, pois ao vivo eu não permitia que ninguém se aproximasse desde que um menino que morava no mesmo condomínio me fez passar pela primeira grande rejeição amorosa, fruto de uma aposta em que fui ridicularizada. Comecei a ter certeza de que ninguém iria me querer mesmo, que eu não merecia ter um envolvimento amoroso com ninguém, que talvez o celibato fosse a solução da minha vida e é isso aí.

Portanto, sem ser pela internet, não rolava nada. Cheguei a sofrer outros episódios de rejeição ao me encontrar com caras que eu conhecia nos bate-papos on-line daquela época. Por mais que soubesse que fatalmente seria rejeitada, eu me escorava na possibilidade de alguém gostar de mim, de alguém querer me salvar e, finalmente, me amar.

Nesse meio-tempo me mudei com a minha família para a Alemanha, para a cidade de Braunschweig, que fica a duas horas de Berlim. O que era para ser três anos se transformou em um, e logo voltamos ao Brasil. Eu estava com 17 anos, foi uma época difícil, complicada, com muitos problemas familiares, e eu tive um episódio de tentativa de suicídio, mas obviamente não deu em nada. Deixei passar, não falei com ninguém, sobrevivi e segui com a minha vida, me sentindo fracassada por não conseguir nem colocar um ponto-final nessa história. Olha o nível de insatisfação a que um ser humano consegue chegar.

Voltei para o Brasil e um dia uma conversa dessas de internet rendeu um encontro em que não fui rejeitada. Era um cara de uma religião diferente da minha (eu era católica, ele evangélico), mas de certa forma foi a primeira vez que recebi amor da forma que eu imaginava ser a correta. Mas durou pouco essa paixão. O fator religioso pesou bastante.

Aos 8 anos, eu tive contato com uma catequista do condomínio em que morava e implorei para participar da turma de Catequese. Na época, apenas maiores de 10 anos podiam entrar, mas venci na insistência. Logo aprendi tudo sobre o Catolicismo e comecei a ir para a igreja todo domingo, obrigando minha família a estar presente comigo... Cresci uma menina amedrontada sobre ir para o inferno e com valores cristãos de transar apenas depois do casamento. E foi exatamente essa a questão com meu primeiro namorado, que foi o cara com quem eu iniciei minha vida sexual regada a medo e culpa cristã.

Sem contar que havia mais uma coisa importante: a minha visão do que era sexo era de algo pecaminoso, sujo, errado. A cada vez que eu e meu namorado transávamos era essa a sensação que eu tinha de mim: errada, suja, pecadora. Minha vida sexual foi construída em cima de um panorama assustador, com o inferno sob meus pés e o capeta gritando o meu nome. Era essa a imagem mesmo que eu tinha das coisas, e isso me atormentava.

E desse relacionamento veio a primeira dúvida: por que eu tenho alguém que me ama, diz me amar, e não estou me sentindo completa? Outra pessoa não resolve, religião não resolve... Será que só vou me sentir bem quando estiver magra?

De toda forma, o namoro me ajudou a me sentir melhor e, mesmo que ainda flertasse com o suicídio, passei a ter uma vontade louca de viver. Esse duelo permanecia dentro de mim, pois algo sempre me dizia que haveria um jeito de as coisas darem certo. O problema era que, de alguma forma, eu estava ouvindo cada vez menos essa voz... Então eu vivia em picos maníacos, louca pela vida, desesperada para aprender algo novo; e depois entrava no modo depressivo, só pensando na morte e sempre dormindo.

E, aos 19 anos, depois de terminar esse único relacionamento sério que tive (considero sério quando a família toda está sabendo), decidi me matar novamente. A decisão era tão forte que eu tive medo de realmente morrer, e contei para a minha família, que me apoiou e me ajudou a buscar tratamento, já que me faltavam forças. Assim, comecei em uma nova terapeuta e fui encaminhada para um psiquiatra, que me diagnosticou como bipolar. Passei a fazer terapia duas vezes por semana e comecei a tomar remédios controlados para tratar bipolaridade, depressão, compulsão alimentar, ansiedade... Era um verdadeiro coquetel que me ligava e desligava em vários sentidos e pontos diferentes. E ser dependente daquilo me incomodava profundamente.

Uma coisa era a terapia, que eu sempre amei fazer e achava necessária. Mas tomar remédios, para mim, me fazia sentir menos do que realmente era. Eu achava que meus sentimentos estavam tolhidos, desperdiçados, que eu estava lobotomizada. Estar tolhida de emoções e sentimentos é a pior prisão para uma pessoa criativa.

Eu vivia uma luta entre parar de tomar a medicação, ter um episódio depressivo ou maníaco demais e voltar aos remédios. A cada vez que eu fazia isso, precisava aumentar a dosagem da medicação, pois a anterior não fazia mais efeito. Demorei bastante para entender que só me sentia bem e com vontade de parar de tomar os remédios, achando que eles eram desnecessários, justamente porque estava tomando esses mesmos remédios! Eles me faziam bem, me controlavam, ajustavam o que estava desajustado no meu cérebro... Entendi finalmente como isso funcionava e, assim, passei seis anos usando medicação e fazendo terapia uma vez por semana, sempre com o psiquiatra envolvido na questão da medicação.

Nesse meio-tempo eu me mudei pra casa da minha avó, na Tijuca, para ficar mais perto da faculdade de Jornalismo, na PUC-Rio, que havia começado. No mesmo mês em que comecei as aulas, em agosto de 2007, já estava em um estágio. Assim, comecei minha vida acadêmica e profissional ao mesmo tempo, o que me encheu de ocupações e me equilibrou por um período. Foi importante para mim entender que eu era capaz, uma ótima profissional, o que me dava forças para lutar por algo que caberia só a mim e que não me cobrava ser magra: o sucesso profissional.

O problema é que, convivendo com pessoas adultas, que eram livres, eu, bem novinha e recém-saída de um relacionamento, aloprei. Fiz muita coisa, conheci muita gente, vivi um lado de beber todos os dias da semana na Lapa, bairro tradicional do Rio de Janeiro, comecei a fumar e joguei minha diversão toda para esse lado boêmio. Era maravilhoso, eu amava. Até que aquela antiga culpa cristã mandou lembranças e eu voltei com o rabo entre as pernas para a igreja. E, a cada vez que eu voltava, estava mais determinada a ir para o céu. Dessa última vez eu quis ser freira.

Eu matava as aulas na PUC para ficar na igreja rezando, me confessava e ia à missa todos os dias. Nem o padre me aguentava mais; me mandava "ser jovem e fazer coisas que os jovens fazem". Eu chorava e me culpava por ser uma pecadora e só queria morrer logo para parar de pecar. Sempre fui muito intensa em tudo, então chega a ser engraçado falar disso hoje. Porque eu realmente senti que minha vida seria o celibato completo, e agora entendo porque cheguei a essa conclusão. Seria mais fácil, né? Uma pessoa gorda, desprovida de vaidade; pra que tentar ter um relacionamento? Pra que emagrecer, pra que se arrumar?

Fui até um convento perto da faculdade e conversei com a madre que fazia a triagem para noviças. Foi bem rápido o meu processo: ela me falou das regras e eu dei meia-volta. Havia esquecido que as freiras vivem sob regras rígidas, essas que uma pessoa que busca a liberdade a qualquer custo não iria suportar. E essa foi a minha curta vida de "quase freira".

Sempre que vivia alguns desses momentos extremistas, eu saía da casa da minha avó e voltava a morar uma temporada com meus pais, principalmente nas épocas em que me aproximava da igreja. Era um vaivém eterno. Mas o clima familiar nunca foi dos melhores; sempre saía faísca com a minha mãe, e em poucos dias eu corria de novo para a casa da minha avó. Era um ciclo sem fim.

Até que numa dessas idas repentinas para a casa dos meus pais um presente caiu do céu: uma lipoescultura. Minha mãe achou que isso me faria bem, eu fiz os exames todos e aceitei de bom grado. Quem recusaria no meu lugar? Aos 23 anos, eu já havia tentado tudo e mais um pouco para emagrecer. A faculdade e os estágios ocupavam boa parte do tempo, eu ainda lutava contra o espelho, a balança, além de viver constantemente pequenas rejeições por não ficar com ninguém na balada enquanto meus colegas de faculdade pegavam geral. Era uma coisa que eu não vivia. Eu não sabia o que era ser desejada. Já tive um namorado, ok, mas mais ninguém vai gostar de mim? O que mais eu tenho que fazer? Parecia que nada resolvia. Fora que o problema com a falta de roupas permanecia, fazendo com que eu estivesse insatisfeita com meu corpo ainda mais, achando que as coisas só dariam certo quando estivesse magra.

Se dietas, remédios e transtornos alimentares não funcionavam, na faca seria mais fácil. De fato, foi. Coloquei silicone nos seios e retirei 9 litros de gordura do corpo, 2 litros a mais que o permitido, por-

Até que numa dessas idas repentinas para a casa dos meus pais um presente caiu do céu: uma lipoescultura.

que o cirurgião plástico injetou esses mesmos 2 litros em áreas diferentes (quadril e nádegas) para que eu ficasse mais curvilínea. *Você agora precisa emagrecer e malhar, senão o seu corpo vai perder a forma, o peito vai cair e todo o trabalho terá sido em vão.* Essa foi a primeira frase que ouvi quando acordei da anestesia. Do dia para a noite eu estava desenhadinha, feito uma Barbie e, ao que me parecia, finalmente MAGRA!

Foi um sonho realizado. Lembro da primeira vez que me vi gostosa. Eu parecia uma Kardashian. Não tinha ficado esquelética como sonhava, mas era bom demais para ser verdade. Consegui sentir pela primeira vez prazer e orgulho ao me olhar no espelho, ficar satisfeita com meu reflexo. Lembro desse momento como se fosse hoje. Eu chorei demais e aquilo me deu confiança para fazer outras coisas. Foi real essa sensação. O problema é que ela não foi suficiente.

A realidade é que eu comecei a ter uma vida totalmente diferente, com roupas novas, e todo mundo começou a me achar maravilhosa, incrível... Os caras davam finalmente em cima de mim; era mesmo um sonho se tornando realidade. Eu havia entrado pela primeira vez numa calça 38, e parecia que aquele momento perfeito que eu tanto almejava havia sido concretizado. Isso tudo aconteceu tão rápido, mas tão rápido, que eu nem tenho foto para mostrar, só duas imagens com gente por perto e coberta de roupa, porque tinha que usar cinta para "moldar" as formas. A cinta me impedia de mostrar o corpo, já que envolvia toda a extensão do tronco. Ela me dava falta de ar e uma sensação de aprisionamento, sabe? Sufocante.

> **Do dia para a noite eu estava desenhadinha, feito uma Barbie e, ao que me parecia, finalmente MAGRA!**

Tenho poucas fotos porque, um belo dia, me olhei no espelho e não me reconheci mais. Eu ficava pensando nos elogios das pessoas, entendia que estava sendo finalmente aceita, mas alguma coisa em mim ainda me incomodava. Naquela época eu fazia terapia com uma psicóloga católica. Levei essa questão para ela, que me disse que eu não vivi a mudança no meu corpo: eu tinha dormido de um jeito e acordado de outro. Então, para mim, aquela menina no espelho não era eu. Achei loucura o que ela falou, mas de forma inconsciente meio que concordei com a terapeuta e, a partir daquele dia, comecei a engordar novamente. Para você ter uma ideia, minha cirurgia aconteceu no dia 19 de julho de 2012 e, no dia 7 de outubro desse mesmo ano, eu me matei. Calma, você já vai entender.

Mesmo com algumas coisas boas acontecendo — e verdadeiros sonhos sendo realizados —, eu ainda era uma pessoa depressiva. Depressão não tem cura, tem tratamento, e isso eu já fazia. E, a partir do momento em que percebi que comecei a engordar, esse lugar sombrio tomou conta. Eu não tinha mais cara de ir à minha terapeuta da época, pois havia me relacionado com ela no assunto de religião e tinha vergonha de compartilhar essas vontades suicidas. Também tinha medo de ela contar tudo para a minha mãe, coisa que aliás já tinha feito antes. Eu me sentia duplamente fracassada: a gorda que emagreceu na faca e voltou a engordar de novo em menos de três meses. Era insuportável lidar com isso, era o símbolo maior do meu fracasso. Eu me sentia desprezível.

No dia 7 de outubro, um domingo, nem pensei duas vezes. Estava na casa dos meus pais, fui para a minha avó. Entrei no apartamento nua de emoções: só sentia indiferença. Para mim tanto fazia viver ou morrer. Eu não queria saber de nada, só queria dormir. Então, me intoxiquei. Simplesmente fiz e deitei. Deitei, me cobri e dormi. O ódio era tanto, mas tanto, que eu tinha me acostumado a ele. Me acostumei de tal forma que, independentemente do que tenha acontecido naquele dia, foi só a pontinha de um iceberg de ódio cultivado por 23 anos. Por isso que eu digo que a Alexandra, aos 23 anos, no dia 7 de outubro de 2012, se matou. A decisão tinha sido cumprida. O ato tinha sido concretizado. Só que eu fui socorrida.

Não vou entrar em mais detalhes sobre como isso aconteceu, até porque nem eu sei muita coisa, mas me fizeram vomitar tudo. Dormi feito uma pedra por mais de 24 horas, mas foi isso. Ninguém falou sobre. Não me foi perguntado nada. Só fiz voltar para a igreja e, de novo, retomei a antiga rotina de dietas e remédios. Esse assunto foi cem por cento colocado debaixo do tapete, o que me angustiava demais e com um sentimento de culpa absurdo. Culpa por não morrer, culpa por querer morrer, culpa por não ser uma filha exemplar, uma mulher exemplar, por não servir pra nada, nem pra se matar...

E não me pergunte de onde eu tirei forças. Eu simplesmente entendi que tinha atentado contra a minha própria vida e estava viva. Obviamente eu voltei mais uma vez para igreja, o que me fez entender que sobreviver ao que eu tinha feito era um verdadeiro milagre. Eu me apeguei nessa ideia e segui em frente. E, como uma pessoa que sempre gostou de se questionar, discutir o que acontecia, se entender, eu precisava tratar isso de alguma maneira. Eu precisava descobrir uma forma de viver de verdade.

E foi assim que comecei a me tratar com outra terapeuta — ainda tomando os remédios de sempre. Foi muito difícil no começo, pois era a primeira vez que eu estava numa psicóloga que não tinha contato com alguém da minha família, sendo totalmente neutra (como todas deveriam ser, né?). Justamente por ela ser neutra, me questionava coisas que eu nunca havia questionado antes, como o motivo da minha religiosidade e crenças, a minha relação com a comida emocionalmente, com o sexo...

Esses assuntos "proibidos" sendo refletidos pela primeira vez me fizeram abrir a mente sobre as minhas noias cristãs e extremistas. Assim, pouco a pouco fui me equilibrando nas minhas vontades, botando limites em mim e nas pessoas, entendendo que nem tudo é 8 ou 80. Automaticamente eu me afastei da igreja, de pessoas que eu convivia lá e também da minha família. Minha avó faleceu e, depois de muito sofrer morando 7 meses sozinha no mesmo apartamento que dividimos por 6 anos, fui morar sozinha, no Flamengo. Foi uma época que eu pouco via a minha família, vivia comigo mesma, com a terapia, meus amigos do trabalho e a faculdade. Foi o despertar da minha cura.

Também fui tendo vontade de pesquisar sobre pautas sociais, outros tipos de filosofias, enfim, comecei a me abrir para várias coisas novas, mas confesso que foi muito difícil. Eu trazia conceitos desde a infância que me atrapalhavam no processo, vivendo agora situações, falas e questionamentos que batiam de frente com tudo que me havia sido ensinado. Às vezes eu sentia que fazia algo de errado, porque era tudo diferente do que eu entendia como normal...

Apesar das dificuldades em lidar com esses assuntos novos, essa terapeuta me ajudou num grau que você não tem ideia. Questionar tudo ao meu redor me fez experimentar pela primeira vez o equilíbrio na minha vida e, pasme: estava funcionando! Nessa mesma época eu discuti a possibilidade de parar com os remédios de uma vez por todas, até porque depois da tentativa de suicídio eu detestava continuar a tomá-los. Me comprometi fielmente com a terapeuta a tratar tudo no consultório, desmamei dos remédios com total acompanhamento do psiquiatra ao longo de meses e as coisas estavam funcionando. Comecei a perceber que estava amadurecendo, mesmo ainda buscando ter um corpo perfeito.

Até que, em 2014, o feminismo apareceu para mim pela primeira vez. Pelo menos foi a primeira vez que eu, de fato, dei atenção a essa palavra. Me interessei e passei a pesquisar e, em 2015, comecei a botar essa ideia em prática: lutar pelos meus direitos e entender que não sou obrigada a nada. Eu sou livre. Finalmente encontrei algo que, embora diferente da minha realidade, fazia total sentido. Entendi que eu já era feminista sem saber, que meu único relacionamento sério tinha sido abusivo, que a culpa não era minha... Saquei como a nossa sociedade funcionava e minha mente bugou: Peraê. Tudo isso que eu estou passando é fruto de um sistema social no qual estamos inseridos e que nos cria dessa forma? AI MEU DEUS, E AINDA TEM MAIS: já ouviu falar em pressão estética? Gordofobia? Body positive? Aí pifou tudo.

> **Assim, pouco a pouco fui me equilibrando nas minhas vontades, botando limites em mim e nas pessoas, entendendo que nem tudo é 8 ou 80.**

A partir desse momento eu digo que começou o meu processo de desintoxicação do ódio na minha vida. Eu estava, aos 26 anos, experimentando uma vontade louca de me conhecer mais, me entender mais e me perdoar por tudo que tinha acontecido comigo: eu não era a minha pior inimiga, como havia imaginado. Essa foi a minha construção; era inevitável. Você vai entender tudo isso no próximo capítulo, mas se liga na minha história aqui que está quase chegando nos dias atuais.

Eu precisava gritar, precisava conversar e a terapeuta era muito pouco para essa necessidade toda. Eu estava num ótimo cargo no meu trabalho, ganhando relativamente bem para minha idade, com meu apartamento alugado no Rio, montado, com minha cadela... Mas eu sentia vontade de compartilhar isso com mais gente.

Queria outras opiniões, outras visões que meu círculo social não proporcionava. E como eu sempre fui muito comunicativa e queria investir em uma segunda frente de renda para o futuro, tomei a decisão mais sábia e coerente de todas: criei um canal no YouTube em dezembro de 2015.

Passei o ano de 2016 fechada para balanço e focada no meu trabalho como jornalista e meu segundo "emprego" na internet. Comecei a levantar questões sobre corpo, autoimagem, gordofobia, body positive, feminismo e qualquer coisa que eu falava, para meus 400/500 seguidores da época, era motivo de perguntas, muitas dúvidas, e muitas delas eu não sabia responder. Eu pesquisava e refletia sobre tudo isso para, justamente, conseguir fazer um vídeo e falar sobre, porque percebi que essa troca com as pessoas era ouro. Ela me ajudava muito a evoluir. Quando recebi a primeira mensagem de uma inscrita dizendo que meus vídeos faziam bem para ela, aumentavam sua autoestima, percebi que o que eu estava fazendo podia ajudar uma galera mesmo. Foi assim que passei a investir todo o meu tempo livre nesse projeto pessoal, o Alexandrismos.

Na época eu era editora de sites de produtos de beleza, estava num cargo bem legal para a minha idade, me saía bem, era uma boa chefe, gostava do que fazia. Mas comecei a experimentar no YouTube uma satisfação diferente, de algo que era meu, que eu organizava, que eu comandava. Dependia apenas da minha perseverança para aquilo tudo rolar.

Eu comecei a dar entrevista para alguns sites sobre o meu trabalho nos vídeos, meu alcance foi aumentando, fui ganhando notoriedade sobre certos assuntos... Eu vi um futuro ali. "Será que rola fazer do YouTube a minha fonte de renda? E se eu começar a me dedicar exclusivamente a isso?", eu me perguntava constantemente. Quando eu iria tomar coragem e ir atrás desse sonho de empreender? Parecia algo distante.

Os meses foram passando, completei um ano de canal e me dei conta de uma coisa: tinha parado de fazer dieta, de ter noias com o corpo, comecei a ir à praia, a usar roupas curtas, a me mostrar... Fiz tudo isso sem perceber, apenas vivendo todos os assuntos que surgiram a partir do canal e trabalhando em cima deles, buscando conhecimento, compartilhando vivências e experiências com o público. Foi um processo de autoconhecimento muito profundo; parece que eu amadureci cinco anos em um só...

A verdade é que, quando me dei conta, eu estava livre.

2
COMO EU DESCOBRI QUE ME ODIAVA

A minha história acabou pra você no momento em que estava no primeiro ano de canal, começando a experimentar a liberdade de ser quem eu sou e estar de boa quanto a isso. E para você entender como eu descobri que eu me odiava e como saí disso, mostrarei minha visão disso tudo, agora bem clara de todo esse meu processo de autoaceitação. Falo diretamente com as mulheres porque sou uma mulher, mas se você não é, tenha um olhar de empatia quanto a isso e busque entender essa visão e levar para sua vida, beleza?

Bom, ódio é uma palavra forte, né? Traz uma certa agonia, medo, a gente quer distância... Apesar disso, é algo com que todas nós convivemos diariamente, afinal de contas fomos ensinadas a nos odiar. Parece bem louco isso? Hahaha, acredite, o ódio está em todo lugar. Para explicar, preciso fazer um belo recorte social, ou seja, mostrar para você algumas verdades da nossa sociedade, sobre a maneira como fomos criadas, moldadas e acostumadas com o ódio desde crianças. Ou, pelo menos, como eu percebi isso a partir da minha história.

Quando eu era criança, amava assistir ao *Domingo Legal*. Uma vez, eu devia ter no máximo 11 anos, a Carla Perez foi ao programa e o assunto do momento era que ela tinha colocado silicone e havia se tornado um símbolo de beleza. Eu vi que a loira do *É o Tchan!* estava com peitos grandes, olhei para os meus e pensei: também quero! Corri para o banheiro da minha mãe, peguei o óleo de silicone que ela usava no cabelo e passei nos meus seios. Fiquei esperando eles crescerem, mas isso nunca aconteceu. A minha inocência naquele momento, somada à minha reação automática, me faz entender, hoje, que aquilo era apenas a sociedade agindo.

A partir desse dia, comecei a fazer uma coisa que iria me consumir por muitos anos: eu me comparava com outras pessoas que tinham peito e colocava defeito

27

no meu, que achava menor, deformado e sem graça diante dos seios lindos das minhas amigas do colégio. Como não dava para resolver o silicone, encontrei soluções rápidas e passei a comprar sutiãs que davam a impressão de que eu tinha um formato de peito mais adequado. E foi assim que excluí totalmente a praia da minha vida, já que, usando maiô, não daria para fingir que eu tinha peitos (biquíni eu nem sonhava em usar).

E essa história perdurou. Lembro que fui ao aniversário de um amigo, cheio de gente desconhecida, e ouvi dois caras conversando. No papo, eles falavam que até ficavam com uma mulher gorda ou outra, mas que elas tinham que ter, pelo menos, peito grande, "porque gorda sem peito já é baranga demais". Sim, baranga. Agora eu sabia como os homens olhariam para mim: como uma baranga. Isso me afastou de qualquer possibilidade de relacionamento e me fez desejar ainda mais o silicone.

Nessa mesma época, todas as famosas das novelas começaram a aparecer com silicone. No Fotolog, as meninas aumentavam os peitos. Só tinha capa de revista esfregando na minha cara aquilo que eu não tinha. Eu sentia raiva do mundo por não ter nascido naturalmente com seios grandes, como a minha irmã, por exemplo. E ainda mais das amigas que tinham que colocar dois tops de sustentação nas aulas de educação física do colégio, ostentando algo que eu nunca iria desfrutar.

Em poucos anos eu já tinha uma coleção de sutiãs, havia feito de tudo, de automassagem a procedimentos estéticos, para ver se o peito mudava de forma. Comecei a ficar fissurada nos programas sobre cirurgia plástica que passavam na TV paga...

> **Só tinha capa de revista esfregando na minha cara aquilo que eu não tinha. Eu sentia raiva do mundo por não ter nascido naturalmente com seios grandes**

Eu sabia que sempre seria uma mulher grande, então eu precisava, pelo menos, ser simétrica, proporcional... E um par de peitos bonitos é o mínimo para uma gorda, né?

Foi nesse período que entrei na noia de ser anoréxica e magra bem reta, meio que me conformando com a falta de peitos e bunda (esta última foi me incomodar só mais tarde, quando a bunda perfeita e siliconada virou obsessão). Então, esqueci por um tempo do sonho de ter seios grandes e foquei em secar 100% a gordura do corpo. Não deu muito certo.

Hoje eu tenho silicone. Coloquei no mesmo dia em que fiz a lipoescultura, em 2012. Estou satisfeita com meus peitos, mas entendi uma coisa nesse processo todo: eu nunca quis ter silicone. Essa ideia surgiu na minha vida quando eu tinha 11 anos e tornou os peitos grandes um grande objetivo, mas essa vontade não era minha: era uma construção social. Era para eu me encaixar, para eu ser aceita, era mais uma forma de consumo que estava sendo colocada na minha mente. Desejar o silicone e achar que a minha vida só começaria depois dele foi um mecanismo que eu desenvolvi para me odiar constantemente. Era a expressão do meu ódio-próprio pura e clara (guarde isso, porque nós vamos voltar a esse assunto mais tarde).

Por que eu não queria, de fato, ter silicone e como eu desejei ser a Sandy

Um tema que vem sempre à tona nas conversas com os meus amigos é a vontade. Se você tem vontade de alguma coisa, rapidamente quer matar essa vontade. E de onde veio a minha vontade de ter silicone? Se você prestou atenção à história que eu contei, vai saber que ela veio das revistas, da televisão, dos homens, das amigas, da praia... Veio do externo. Em nenhum momento eu refleti e pensei: "De acordo com o meu bem-estar e a minha saúde, essa escolha faz sentido. Minha vida vai ser assim, assim e assado se eu colocar silicone, então certamente vale a pena optar por essaa decisão." Não. Eu simplesmente desejava aquilo cegamente. Era necessário para a minha felicidade completa. Sem explicações. Ponto.

E quanta coisa a gente deseja que é fruto de uma vontade que vem do externo, buscando a aprovação alheia? Já refletiu sobre isso? Mudar para ir a uma festa de família, aparecer mais magra depois das férias da escola, emagrecer rápido para ir a uma evento, estar "em forma" no dia do casamento... Quando parei para pensar, tudo tinha a ver com a maneira como uma ou mais pessoas me veriam, me julgariam... E isso me fez perceber que talvez as minhas vontades não fossem minhas, mas algo que foi construído em mim.

É bem louco olhar para essa história. O processo de escrita deste livro me fez mergulhar em cada passo da minha vida, nas coisas que aconteciam comigo, e eu lembrei dos meus ícones de beleza da adolescência. Nos anos 2000, a internet ainda era uma coisa nova, então a televisão e as revistas, tipo *Capricho* e *Atrevida*, faziam parte do meu dia a dia. Foi justamente assim que eu coloquei na cabeça alguns ideais do que é belo e percebi que não me encaixava em nada daquilo. A Sandy é o maior exemplo disso: uma mulher baixa, branca, magra, cabelo liso e toda delicada, com aquela voz fina e suave, era quem aparecia em todos os lugares como a "namoradinha do Brasil", a menina que todos os homens gostariam de namorar.

A vontade de ser a Sandy era tão grande que eu entrava em salas de bate-papo on-line e fingia que era ela. O mais engraçado era que o pessoal acreditava. Eu ficava imersa naquela ilusão por algumas horas, depois saía do computador, voltava para o quarto e me odiava por não ser nem um pouco parecida com ela.

Tudo na Sandy me encantava. O meu cabelo sempre foi um misto de cachos e ondas, diferente dos fios lisos dela. Não dava para pentear quando estava seco, porque armava e ficava estranho. E eu queria poder pentear os fios "que nem uma pessoa normal" fazia. Era assim que eu pensava, por-

> **A vontade de ser a Sandy era tão grande que eu entrava em salas de bate-papo on-line e fingia que era ela.**

que gente normal penteia o cabelo o tempo todo, né? Uma vez eu pedi muito a Deus para acordar com o cabelo igual ao da Sandy. Lembro de acordar na manhã seguinte, pegar minha escova e passar no cabelo. Para minha surpresa, ela deslizou lindamente. Gritei de emoção, agradeci a Deus pelo milagre concedido, corri para a frente do espelho e me dei conta de uma coisa: a escova estava do lado errado. Eu estava passando nos fios a parte sem cerdas. Nada havia mudado. Não teve milagre.

Até tentar cantar que nem a Sandy eu tentei e, sozinha, acreditava que era melhor do que ela. Eu competia com a Sandy sozinha. Era uma mistura de admiração e inveja por não ser como ela: perfeita. Além de ser zero parecida com ela fisicamente, minha personalidade não era fofa, meiga, eu não era delicada... Era muito difícil aceitar que nunca seria desejada como ela, que nunca seria a namoradinha de ninguém.

Fora a Sandy, basta fazer um esforço de memória que aparecem outras meninas, mas o fato é que todas elas tinham coisas em comum: eram magras, brancas, com o cabelo liso e perfeitas. Era isso na televisão, nas revistas, na internet, em todo lugar. E aí vem a questão: será mesmo que eu tinha alguma vontade de ser igual a essas mulheres ou aquilo me foi imposto a todo momento? Perceba que não existiam pessoas como eu (gordas) representadas em canto nenhum. Eu não era normal. É justo eu achar que ter o peito maior ou ser magra, meiga e lisa era genuinamente uma vontade minha?

A vontade nasce dessa ideia do corpo perfeito, que é o corpo que atende a todas as expectativas diante de um padrão de beleza. Ou seja, para você ter um corpo perfeito não basta apenas ser magra: existe um tamanho de cintura, braço, quadril, peito, bunda, boca, um cabelo ideal a ser alcançado. Assim fica fácil entender que cada parte do seu corpo é um produto. Cada pedacinho de você pode ser adquirido, modificado e estruturado para ser ainda melhor. E adivinhe o que está por aí, disponível, para satisfazer nosso desejo de nos lapidar? Diversas "soluções" que podem ser compradas para saciar nossa insatisfação.

Mas quando é que isso acaba, quando é que tudo fica bem? Isso tem fim? Não. Porque essas vontades são criadas o tempo inteiro para o mercado continuar girando e você permanecer insatisfeita consigo mesma. Se tem uma coisa que eu entendi nisso tudo é que a insatisfação é o estado de espírito do ser humano. É normal estar insatisfeito, é socialmente aceitável viver dessa forma, porque a ideia é a de que sempre vai ter algo a ser melhorado. É a ideia da superação, do "você consegue chegar lá".

E é aí que você começa a pirar. Calma que piora! Hahahaha! A verdade é que, quanto mais a gente vai entendendo o meio em que vivemos, maior a probabilidade de rolar uma pequena crise existencial e uma raiva imensa de tudo. Então se prepara, minha amiga, porque está na hora do choque de realidade.

Construção social: como a sociedade faz você não querer ser você

Imagine uma colina ou um morro. É inquestionável que esses acidentes geográficos são obras da natureza. Nenhum homem foi lá e construiu um morro. O morro sempre esteve ali. Já um prédio é diferente. É necessário que a atividade intencional de seres humanos traga aquele edifício à existência. Quando falamos de construção social, a lógica é a mesma do prédio: apesar de sermos o resultado da natureza humana, fomos edificadas, construídas e ensinadas pela sociedade em que vivemos, ou seja, por um grupo de pessoas organizado com seus valores, interesses e necessidades.

Então vamos pensar aqui: todas nós somos socializadas na mesma sociedade e absorvemos, por meio da nossa cultura, uma série de informações que nos ensinam a classificar e hierarquizar as coisas, ideias, pessoas, animais, plantas etc. E, mesmo que existam recortes dentro dessas classificações e hierarquias, nós aprendemos, em geral, as mesmas coisas. É o inconsciente coletivo agindo, algo que não se apaga facilmente.

Perceba se já ouviu algumas das frases abaixo:

"Você não pode sair com essa roupa, senão vão achar que você é fácil."

"Tira esse batom vermelho. Mulher da vida que usa isso."

"Não corta o cabelo curto que é coisa de piranha."

"Não use branco, nem listras horizontais porque te deixa gorda."

"Pinta esse cabelo que você está parecendo uma velha."

"Se você terminar comigo nunca vai encontrar alguém melhor do que eu."

"Esse estresse todo é TPM? Quer um docinho?"

"Você está muito gorda para ir de biquíni à praia. Tem que ter bom senso e usar maiô. Ou então ficar em casa."

"Mulher que se dá valor não transa no primeiro encontro."

"Não fala palavrão que isso é coisa de marginal."

"Seu rosto é tão lindo. Por que você não emagrece?"

Você já deve ter ouvido esse tipo de coisa, né? Guarde esse assunto na memória também.

Desde pequenas, aprendemos que as coisas são estabelecidas pela posição delas em relação às outras. É um fato que, se algo é feio, não é bonito. E se algo é bonito, não é feio. A partir dessas palavras você define o que é bonito e o que é feio. "Ser mulher", por exemplo, significa "não ser homem" e vice-versa. E o machismo aparece justamente quando associamos ao ser mulher e ao ser homem uma série de interpretações sociais.

Por exemplo, nós associamos "ser mulher" a características ligadas à "sensibilidade" e ensinamos as mulheres a "serem mulheres", portanto "sensíveis". Enquanto isso, associamos "ser homem" a características ligada à "força", portanto ser homem é ser forte. Ambas as visões são reforçadas como positivas. Ok, beleza. Isso poderia ser apenas uma diferença de gênero e não uma desigualdade. Torna-se desigual quando a sensibilidade da mulher é lida negativamente em espaços que concentram poder na nossa sociedade, como no trabalho, na política, na economia. Mas peraí: quem institucionalizou a "sensibilidade" como uma característica negativa? Ora. Quem é o dono da "força"? Pois é.

> **E o machismo aparece justamente quando associamos ao ser mulher e ao ser homem uma série de interpretações sociais.**

Para falar de exemplos universais (que todo mundo vai entender), talvez fique mais fácil explicar se pensarmos na presidência no Brasil. Dilma Rousseff foi eleita presidente da república e, durante todo o seu mandato, se ela chorava, se emocionava, se era fofa ou sensível demais, tudo isso era questionado. "Será que uma mulher emocional como Dilma tem equilíbrio para governar um país?" Essa era uma pergunta comum durante o tempo em que ela estava no comando. Nesse caso, ser sensível é considerado um defeito para a mulher. Mesmo que seja algo reforçado desde a infância como positivo. Não é à toa que, para ser presidente, ela precisou se mostrar muito forte, determinada, assertiva, fria e segura de si — características masculinas.

Veja que eu nem entrei no mérito da aparência da Dilma, que era constantemente julgada, apontada e criticada. Nós falamos do visual dos presidentes homens? Questionamos o corte de cabelo dele, a maquiagem, o tamanho do corpo? Percebemos se ele fez ou não as unhas? Ligamos se o seu cabelo está branco? É claro que não. Quero deixar claro que isto não é uma tentativa de defender ninguém politicamente. Só estou comparando o que se espera e como se reage a cada gênero. Os jeitos são bem diferentes, né?

Isso tudo porque, assim que uma mulher engravida, a primeira expectativa em torno do acontecimento é saber se o bebê vai ser menino ou menina, o que direciona as compras e todo o comportamento familiar em torno das necessidades de cada gênero. Ou seja, a forma como as pessoas nos colocam socialmente é preestabelecida, começa antes mesmo de nos entendermos como seres humanos. Por que é que desenham nossa personalidade e não nos deixam escolher quem queremos ser? É difícil responder a essa pergunta, assim como não é fácil dar dicas sobre como criar crianças sem colocar sobre elas expectativas de gênero, mas a escritora nigeriana Chimamanda Adichie, em *Sejamos todos feministas*, oferece uma saída: "E se criássemos nossas crianças ressaltando seus talentos, e não seu gênero? E se focássemos em seus interesses, sem considerar gênero?".

Segundo uma pesquisa feita pelas universidades americanas de Illinois e Princeton, publicada na revista *Science* em 2017, os estereótipos de gênero são construídos nas crianças, em média, até os seis anos. Eles surgem muito cedo e influenciam diretamente nos interesses delas.

Existe todo um mercado direcionado para criar meninos movidos a carrinhos de controle remoto, aviões, brinquedos de construir, bonecos de desenhos de ação, que estimulam os garotos a crescerem desbravadores, curiosos, determinados, espertos e estimulados pelos meios externos. Afinal, o que se espera de um homem é que ele seja viril, inteligente, pai de família, forte e protetor.

> **Não é à toa que o maior elogio para uma menina é "linda" e para os meninos, "esperto". Ou seja, a menina cresce uma mulher julgada pela aparência e o menino, um homem julgado pela capacidade.**

Já com as meninas é bem diferente. Eu, por exemplo, cresci cercada de bonecas Barbie que não me representavam. Tinha uma coleção com dezenas de roupas da moda para elas, amigas lindas e namorados incrivelmente bonitos. Assim como uma coleção de brinquedos que me ensinavam a cuidar da casa e da família, produtos de beleza para todas as fases, desenhos de princesa, ou seja, todo um ambiente criado para que eu crescesse uma mulher bela, recatada e do lar.

Não é à toa que o maior elogio para uma menina é "linda" e para os meninos, "esperto". Ou seja, a menina cresce uma mulher julgada pela aparência e o menino, um homem julgado pela capacidade. Também não é por acaso que é normal falar sobre instinto materno (estereótipo que vem das bonecas, do brincar de casinha) e sobre o homem ser o provedor (carrinho, avião).

Outra coisa que não surgiu do nada: ainda hoje, o sonho da maioria das personagens nos desenhos animados é encontrar o príncipe encantado, que no caso é o homem. Apenas quando esse cara surgir a mulher será, de fato, uma princesa. E não é coincidência alguma que essa princesa, escolhida por um príncipe dentre milhares de mulheres, precise ser... adivinhe. Acertou quem pensou em "linda". As narrativas dos desenhos se replicam para os romances na literatura, no teatro, no cinema, com as comédias românticas, reverberando em todas os meios de comunicação a fatídica sentença de que você será escolhida, enfim, se for a mulher perfeita.

Tudo isso nos faz questionar uma coisa: afinal de contas, quem sou eu? O que é meu de fato e o que foi construído em mim? Será que você ama muito a cor rosa ou ela foi enfiada em você goela abaixo? Será que você tem essa vontade toda de casar e ter filhos ou isso te foi ensinado desde pequena? Você quer mesmo ser escolhida por um príncipe encantado? Quer ser o grande amor de um homem de sucesso e mudar a vida dele com a sua beleza e encanto? Será que você deseja ter uma barriga tanquinho ou aprendeu que isso que é bonito? Será que você se interessa por homens sarados, altos e barbudos ou até mesmo esse gosto foi construído? Talvez a gente nunca consiga chegar a uma resposta completa, mas a ideia aqui é que você inicie essa reflexão.

O machismo é a raiz dos problemas

Acredito que a esta altura já tenhamos conseguido entender que a nossa construção social é androcêntrica, ou seja, tem o homem no centro. Os homens fazem e aplicam as leis, partindo da visão que eles têm do mundo de acordo com o que eles vivenciam, porque foram criados para pensar, gerir, prover e controlar. Sendo assim, nada mais natural que eles sejam responsáveis pela organização e se coloquem como coordenadores das regras sociais que moldam as diretrizes do mundo. O nome disso é machismo e é o sistema social em que vivemos, totalmente desigual, opressor e injusto para as mulheres. Seja bem-vinda à realidade.

É complicado falar de machismo porque não conseguimos saber, ao certo, a sua origem. Porque tudo que rege o ser humano foi e se mantém estruturado por ele. E quando eu digo *tudo* estou falando do estado, das religiões, do modelo de família, educação, economia, indústrias, comportamentos, classes e preconceitos. Tudo.

A naturalização do machismo no Brasil é a causa e, também, a consequência da desigualdade de gênero em que vivemos. De acordo com uma pesquisa do IBGE de 2017, a mulher ganha 22, 5% a menos que o homem realizando as mesmas tarefas.

Resumindo, a mulher estuda mais, ganha menos, trabalha mais, sofre violência de inúmeras formas, é sempre subjugada e questionada e ainda tem que apresentar uma fachada comercial (ser bonita, magra, bem-vestida, maquiada, alinhada). Isso porque nem falamos de recortes de sexualidade (as lésbicas têm menos oportunidades), raça (as brancas ganham mais do que as negras), regionalismo (as nordestinas são as que mais sofrem com essa disparidade salarial), classe (mulheres da periferia têm menos oportunidades de trabalho) e corpo (mulheres gordas têm menos espaço no mercado de trabalho).

Também não entrei no mérito de que ainda se espera da mulher um comportamento maternal, caseiro e emocionalmente controlado.

De fato, a conta não fecha. É injusto, é desigual e reflete nas nossas relações, escolhas e vivências. "O Brasil ainda é um país bastante desigual, principalmente, quando se faz a comparação internacional. O Brasil está encabeçando a lista dos países que têm maior desigualdade salarial no mundo", afirmou em 2018 ao Jornal Nacional Cimar Azeredo, coordenador de Trabalho e Rendimento do IBGE. Esse é o mundo em que vivemos.

Vale lembrar que, há 90 anos, as mulheres ainda estavam juridicamente vinculadas ao pai ou ao marido. Estou falando de menos de um século atrás, quando a mulher ainda necessitava da permissão do homem para ter acesso ao estudo, voto, trabalho e à vida social. Era real isso e o nome desse controle é patriarcado. O controle patriarcal reafirma, ainda hoje, a visão de que a mulher e o seu corpo devem permanecer em constante vigília, e ela é nada mais nada menos do que uma propriedade do homem.

Crescer mulher é se construir para a aprovação masculina, com exaltação da sua feminilidade (na aparência, na delicadeza) e repressão da sua sexualidade (mulher não pode transar no primeiro encontro, tem que casar virgem, é vista como vagabunda se gosta de sexo). Devemos começar a nos depilar, fazer a sobrancelha, a nos arrumarmos para exaltar a beleza do nosso sexo frágil (porém "belo"), e também devemos ficar em eterna vigilância quanto ao nosso corpo e nossa comunicação corporal: sentar com as pernas fechadas, tomar cuidado com o decote, falar sem palavrões ou em um tom mais ponderado e delicado.

Hoje, apesar de alguns direitos conquistados, ainda existe o desafio de mudar essas práticas sociais para que consigamos viver em uma sociedade igualitária. É aí que entra o feminismo. Muita gente acha que feminismo é o contrário de machismo. Aproveito para reproduzir uma fala do professor e filósofo Mário Sérgio Cortella: "o contrário de machismo não é feminismo, é inteligência". É complicado colocar um homem para explicar o óbvio para as mulheres, mas, como se trata de uma palavra que ainda sofre muita rejeição, talvez desse jeito fique mais simples.

A ativista de direitos humanos Malala Yousafzai foi a pessoa mais nova a receber um Prêmio Nobel da Paz, em 2014, e deu muitas entrevistas no ano seguinte para lançar seu documentário, *Eu sou Malala*, que conta a história da sua luta por educação e direitos civis no Paquistão. Nessa rodada de divulgação do filme, ela foi entrevistada pela atriz Emma Watson, que comentou sobre o peso da palavra "feminismo" e explicou porque se considerava feminista. Malala, que não se considerava feminista até então, teve uma fala simples e brilhante: "A palavra feminista é um pouco difícil. Quando a ouvi pela primeira vez, escutei conotações negativas e poucas positivas. Tive dúvidas em me definir ou não como feminista. Mas depois escutei seu discurso [o de Watson] percebi que não há mal nenhum em me definir como feminista. De modo que sim, sou feminista e todas deveríamos ser porque a palavra feminismo é apenas outra palavra para igualdade." Acredito que você vai precisar de um tempo para pensar nisso, mas siga com a leitura para ver se te ajuda ;)

Na luta feminista, as mulheres não querem ser superiores aos homens; só querem igualdade. Isso deveria ser bem simples de entender, mas foi criado um imaginário coletivo sobre o que é ser feminista (gorda, lésbica, histérica, que odeia os homens, que tem repulsa por ter uma família e filhos; puta) e se apagou o foco central do movimento, que é a liberdade de escolha, viver a vida sem homem nenhum, sem a sociedade dando pitaco. Não é complicado, viu? É por você, pelos seus direitos, pelas suas escolhas, pela sua vida.

Pensa só: se os homens menstruassem, provavelmente o sangue seria motivo de orgulho e um motivo de disputa entre eles. "Quero ver quem sangrou mais esse mês." Acredite, seria. Se eles menstruassem, os remédios para cólica seriam muito mais avançados, os absorventes estariam tão tecnológicos quanto os celulares, o acesso a pílulas anticoncepcionais seria mais fácil e a semana da TPM seria de folga no trabalho. O olhar sobre a menstruação é masculino. E dá para ir além. Segundo Voltaire, "se os homens engravidassem, o aborto talvez fosse feito nas igrejas ao som de canto gregoriano". Pesado, né? Reflita sobre isso e sobre o fato de as leis serem todas em benefício dos homens.

Quando falamos de opressões impostas socialmente, não podemos esquecer que existem outros recortes necessários para entender a sociedade. Eu sou uma mulher branca, hétero, de classe média alta e gorda. Tive acesso a estudo, nunca passei por preconceito por causa da cor da minha pele, da minha sexualidade (apesar de questionarem se eu era lésbica) ou classe social. Nessas horas é necessário reconhecer os privilégios que temos: você, muito provavelmente, comprou este livro e teve condições de pagar por ele. Infelizmente existe muita gente que não se encontra na mesma situação que você. A maioria nem tem acesso a esse tipo de conteúdo; enquanto estamos discutindo direitos iguais, tem uma galera que precisa, literalmente, sobreviver. Reconhecer privilégios é o primeiro passo para termos uma vida mais diversa e empática. Beleza? Beleza.

De toda forma, por mais que algumas leis tenham mudado, as questões culturais e religiosas continuam presas ao moldes antigos, ou seja, a mulher ainda é vista como a propriedade do homem, e um homem de respeito não deve se meter na propriedade alheia. "Não cobiçarás a mulher do próximo" é um mandamento da Bíblia em uma sociedade majoritariamente cristã — e o Brasil tem 86, 8% de cristãos, segundo dados do IBGE de 2017. O inconsciente coletivo dá as caras mais uma vez. Nós pensamos, falamos e reproduzimos coisas sem pensar de onde elas vêm.

> **Eu sou uma mulher branca, hétero, de classe média alta e gorda.**

Ainda hoje é necessário um código que defina a propriedade (mulher). Um pai de família protege a sua garotinha do mundo. Um bom marido oferece segurança para sua esposa. Alianças de casamento rotulam o compromisso, existe tratamento diferenciado para mulheres casadas ou comprometidas, rolam "brincadeiras" sobre a necessidade de vigilância constante sobre as mulheres casadas para que elas não pulem a cerca ou, pior, para que não descuidem do relacionamento e façam seus maridos perderem o interesse e apelarem para a traição. Além disso, é esperada uma determinada aparência, roupas e atitudes para cada estado civil.

**"Se fosse solteira, tudo bem, mas usar vestido curto não é coisa que mulher casada faça."
"A Mariazinha saiu com as amigas à noite e deixou o filho em casa com a babá. Que péssima mãe."
"Se você está solteira, faça o favor de emagrecer para desencalhar."**

"Se o seu marido te traiu, a culpa é sua, que engordou."
"Se você continuar comendo desse jeito, o fulano vai te largar."

Isso tudo nos faz entender que o corpo da mulher não é dela. O seu corpo não é seu, mas de quem paga as suas contas, de quem dorme ao seu lado, do seu chefe, da Igreja, do homem que te estuprou, do Estado... O seu corpo não é seu porque você não é boa o suficiente para ter posse dele. Afinal de contas, você nunca vai ser perfeita.

Até porque nenhum homem adquire uma posse que não esteja em perfeitas condições. Ou seja: a mulher precisa se aproximar da perfeição o máximo que puder no seu comportamento e na forma como se expressa esteticamente. Lembra da princesa? Ela aparece aqui mais uma vez. O que se espera é que a mulher seja uma princesinha. E qual é o ideal estético de uma princesa? Acertou quem disse perfeita.

E, o pior: esse sistema patriarcal machista faz a mulher aceitar as condições que lhe são impostas pela falta de conhecimento sobre a história que a levou ao papel de submissa e injustiçada. Na real, para nós, isso se tornou normal. Não é à toa que reproduzimos o machismo o tempo inteiro. A escritora nigeriana Chimamanda Adichie, em *Sejamos todos feministas*, explica: "Se repetimos uma coisa várias vezes, ela se torna normal. Se vemos uma coisa com frequência, ela se torna normal." É normal ser machista, reproduzir o machismo; somos frutos disso. Anormal é se rebelar contra o sistema e ser feminista. Não é à toa que sofremos tanto ódio.

> O seu corpo não é seu porque você não é boa o suficiente para ter posse dele. Afinal de contas, você nunca vai ser perfeita.

Quando falamos de misoginia, que é o preconceito contra a mulher, abrimos um leque gigantesco de assuntos, principalmente sobre estupro e feminicídio. Só para você ter uma ideia, 12 mulheres são assassinadas todos os dias no Brasil; uma mulher é estuprada a cada 11 minutos e é vítima de violência física a cada 7,2 segundos. Apesar de as estimativas variarem, sabe-se que esses números relativos a abusos correspondem a apenas 10% dos casos que acontecem de verdade, porque muitos deles não são denunciados. Ou seja, esses dados podem ser só a ponta do iceberg de um problema muito maior do qual nem nos damos conta.

Dei muita informação até aqui, então sugiro dar uma pausa (eu sei, nem chegamos à metade do livro ainda) e assistir ao filme *Eu não sou um homem fácil*. É uma produção original Netflix que conta a história de um cara machista que um belo dia acorda em um universo paralelo em que as mulheres são o sexo opressor. É tudo ao contrário. Inicialmente você pode achar ridículo ver o cara naquela posição, mas depois vai percebendo como ele, para nós, "parece" uma mulher.

O protagonista do filme sofre as mesmas opressões enfrentadas por uma mulher no mundo em que vivemos, desde ter uma aparência perfeita, ser delicado, sofrer abuso, estupro, ganhar menos, ser assediado no trabalho. Ver um homem passando por essa situação pode ajudar a entender como funciona a nossa sociedade. Aproveite e mostre *Eu não sou um homem fácil* para os seus amigos, para o seu pai, para todos os homens da sua vida, pois é uma boa forma de iniciar um diálogo. Só não vou conseguir prever como uma conversa dessas acabaria, mas fica a dica.

O nascimento da pressão estética

Com essas expectativas em cima da mulher, você deve imaginar a pressão para que ela atenda a tudo isso. E o nome é pressão estética. Ela é real, e é filha do sistema em que vivemos. Atinge os homens também, mas de forma extremamente mais leve, afinal eles não são oprimidos como as mulheres justamente porque são homens. Os papéis sociais são diferentes. Vamos exemplificar: imagine duas pessoas, um homem e uma mulher. Ambos têm a mesma idade, estão sem acessórios, vestem roupas largas e não usam maquiagem. O homem é careca; a mulher está com o cabelo cacheado preso em um rabo de cavalo. O cara exibe uma barriga de chope, a mulher tem a barriga grande.

Qual deles seria o presidente de uma empresa? A grande verdade é que um cara barrigudo, com roupas diferentonas, mais velho e, obviamente, sem maquiagem pode ter, sim, um cargo de alto escalão. Já uma mulher mais velha, sem maquiagem, barriguda, com roupas largas, nunca vai ser lida socialmente como uma pessoa que exerce uma função importante numa empresa. Entende? A pressão em cima da mulher é infinitamente superior àquela que é sofrida pelo homem. E essa é a realidade. Ver a beleza como um produto, uma fachada comercial é fruto do capitalismo, nosso sistema de compra e venda, lucro e geração de necessidades. Ver a mulher como posse, objeto, submissa é fruto do machismo. É foda ser mulher.

Não é à toa que a maioria dos comerciais, produtos e mídia sobre beleza é voltada para o público feminino. As mulheres são ensinadas a se sentirem insatisfeitas consigo mesmas o tempo inteiro, já que a insatisfação é a condição do ser humano. Se você não está insatisfeita, existe algum problema com você. Porque nem mesmo a felicidade traz satisfação. Ela gera outra necessidade. Vivemos em uma sociedade em que uma musa fitness famosa foi procurar terapia porque estava "feliz demais", sabe? A que ponto chegamos.

Em suma, a mulher será criticada em toda a sua aparência: o peso, as roupas, se usa ou não esmalte, a maquiagem, o tipo de cabelo, acessórios; e o seu comportamento: a forma como se alimenta, a quantidade de comida, o modo de falar, agir, tudo. A aparência da mulher é tratada, normalmente, como um assunto público, como se ela precisasse o tempo todo ser aprovada como uma fachada comercial para, só depois dessa aprovação — se houver —, ganhar o direito de ser avaliada pela sua capacidade.

No trabalho, por exemplo, a aparência da mulher é sempre cobrada dentro de uma dualidade: se ela está arrumada demais, sexy demais, está "pedindo para ser assediada". Já a que se arruma de menos tem "algum problema", é menos aceita e, muitas vezes, nem consegue a vaga ou não permanece no emprego por esse motivo. A desigualdade começa de forma velada, disfarçada, já no momento em que a mulher se senta na frente do entrevistador: a aparência é a primeira coisa a ser julgada, antes do seu currículo e das suas aptidões. Já o homem pode até estar meio desalinhado, mas tem a oportunidade de ser julgado pela sua capacidade, e isso é colocado em primeiro lugar em uma decisão profissional sobre ele.

Essa desigualdade na abordagem da aparência é um fator determinante para que as mulheres não tenham as mesmas oportunidades que os homens. A avaliação é feita por critérios desproporcionais em razão do gênero, e a necessidade de atender a essa pressão prejudica fortemente as mulheres em sua vida social e profissional.

E ninguém está livre disso. A atriz Bruna Marquezine, que cresceu na televisão, famosa desde criança, é um exemplo recente e marcante. No carnaval de 2018, ela decidiu sair em um bloco usando uma fantasia bem comum para esse tipo de evento: um sutiã meia-taça com apliques em pedraria, vazado e apenas com uma pedra em cada mamilo. A peça estava perfeitamente ajustada ao corpo dela. Assim que surgiram fotos de Bruna com essa roupa, eu tive certeza de que o padrão de beleza está cem por cento no imaginário das pessoas; ele não existe. Porque a reação das pessoas foi a de comentar que os seios dela eram caídos, moles e sem "recheio". Choveram críticas sobre os peitos de uma atriz, que é magra, alta, branca, feminina, hétero e uma celebridade, ou seja, tem grana. Não conheço ninguém mais próxima do padrão do que Bruna Marquezine, e nem ela foi poupada. Uma sociedade em que Bruna Marquezine não se encaixa no padrão de beleza é uma sociedade que não tem noção do que é padrão de beleza.

E o caso da Bruna é apenas um em meio a milhares que acontecem todos os anos. Em 2016, Siera Bearchell ganhou o título de Miss Canadá e, no mesmo ano, participou do concurso Miss Universo. Aqui no Brasil, o concurso foi transmitido pela TV Bandeirantes e deu o que falar. Isso porque dois comentaristas, dois homens, apontaram para o corpo da modelo durante a transmissão, dizendo que ela era "mais gorda" que as outras concorrentes. E a moça não foi alvo de comentários só no Brasil. Logo depois do evento, ela publicou um post no Instagram declarando que ser miss é muito difícil e que talvez não seja necessário ter um corpo perfeito para ser feliz. Estou falando de uma mulher magra, que, provavelmente, era só uns três quilos maior do que suas concorrentes.

> **Uma sociedade em que Bruna Marquezine não se encaixa no padrão de beleza é uma sociedade que não tem noção do que é padrão de beleza.**

Em 2017, Siera começou a falar sobre positividade corporal e postou uma foto em que dizia estar em processo de aceitação. "Assim que comecei a amar quem eu era, em vez de sempre tentar encaixar o que eu achava que a sociedade queria que eu fosse, ganhei um novo lado da vida. Esse é o lado que estou tentando trazer para a competição do Miss Universo. O lado da vida que é tão raro de encontrar: autoestima e amor-próprio. Nós sempre nos concentramos nas coisas que gostaríamos de poder mudar em vez de amar tudo o que somos." Pois é.

E nós nem entramos na questão de feminilidade. Muito além do padrão estético, espera-se da mulher que ela seja feminina. O que é uma mulher feminina? É uma mulher delicada, sensível, que se preocupa com a aparência em todos os âmbitos, que usa roupas adequadas para o seu gênero (saias, vestidos), cabelo curto jamais, que tem um tom de voz ponderado, meiga, fofa, com instinto materno, vocação para ser dona de casa... Basicamente é o que a Sandy representava para mim na minha adolescência: tudo o que eu não era. Apesar de ser mulher, sempre tive atitudes e comportamentos ditos masculinos: determinada, assertiva, forte, ambiciosa, corajosa... Fora que eu amo roupas consideradas masculinas, um estilo mais tomboy e tal. Até hoje tem gente que questiona minha sexualidade, pergunta se eu não sou lésbica mesmo... Será que minha aparência e minha falta de feminilidade coloca essa imagem na cabeça das pessoas? Eu não ter um corpo perfeito nem ser feminina como se espera não faz de mim um homem, porque esses padrões de feminilidade e masculinidade estão muito deturpados. Já começamos a ler artigos e ter conteúdo sobre masculinidade tóxica, mas a feminilidade também intoxica. Ser mulher vai muito além de ter a aparência e reproduzir o comportamento de uma PRINCESA, saca?

Em 2017 publiquei um vídeo no meu canal em que questiono uma atitude da apresentadora Luciana Gimenez. Na sua conta do Instagram, Luciana posta o que quer, como todas nós. Uma vez ela postou uma foto nua, com emojis cobrindo as partes íntimas, e foi vítima de ódio na internet. Como assim, uma mulher magra e sarada como ela? Não falaram sobre o corpo dela, mas sobre a sua atitude. "Como uma mulher de 48 anos se presta a esse ridículo?"; "O que o seu marido achou disso?"; "Você vai perder o emprego por mostrar o corpo, e olha que o patrão é o marido"; "Esqueceu que é mãe de família?"; "Acha que tem 20 anos de novo?" Foram muitos comentários na foto, a esmagadora maioria partindo de mulheres. Dentro do que se espera do ideal da princesa, uma mulher de 48 anos que posta foto pelada na internet só pode estar beirando a loucura, mesmo que essa mulher seja a Luciana Gimenez.

Ela, de fato, sofreu um grande ataque padronizado, sim, mas sua resposta às críticas me deixou dividida. Luciana postou

> **Muito além do padrão estético, espera-se da mulher que ela seja feminina. O que é uma mulher feminina?**

um vídeo no Stories dizendo que as pessoas que a atacaram eram "gordas invejosas", colocando no mesmo saco todos os que enviaram as mensagens maldosas. Como se toda gorda quisesse emagrecer apenas por ser gorda (vamos falar de gordofobia depois). Isso desviou totalmente o foco do que aconteceu. Enfim, foi um caso em que a princesa não atendeu aos padrões de feminilidade exigidos e sofreu represálias por isso. Porém, como ela é fruto do meio, atacou na mesma moeda, da forma como se esperava. Tudo isso é bem comum, bem normal. É o que se espera da nossa sociedade mesmo.

Uma das afirmações mais ouvidas das mulheres que são contra o feminismo é: eu sou feminina, não feminista. Amiga, você pode ser as duas coisas. Ser feminina não anula você ser feminista e vice-versa. Ser feminista é apenas acreditar que nós, mulheres, devemos e precisamos lutar para termos direitos iguais aos dos homens. Tem a ver com liberdade. Tem a ver com poder escolher e opinar sobre o que acontece comigo e com o meu corpo, sem que ninguém me diga como viver. Mais uma vez, tem a ver com liberdade.

Imagine uma situação muito trivial, pela qual a grande maioria das mulheres já passou: sentar em um restaurante com outro homem. Parece bobo, mas o simples fato de se alimentar diante de um homem envolve vários questionamentos para a mulher. Em uma situação amorosa, por exemplo, além de todas as questões em relação à sua aparência e padrões de feminilidade, que são óbvias a esta altura e podem, inclusive, definir o rumo da noite, existe o fator alimentação.

Está entranhado no inconsciente coletivo que a mulher come menos, precisa de menos, e obviamente esse pensamento se perpetua devido a diversos paradigmas comportamentais consolidados há séculos. Uma mulher deve sentir menos fome diante de um homem, reafirmando o seu estereótipo de frágil. Então, ao se sentar à mesa, a primeira atitude da mulher é de renúncia: renúncia ao que se tem vontade de comer, à forma como deseja comer, à quantidade do que se vai comer, se é que ela vai, de fato, se alimentar. E a cereja do bolo vem com o garçom, que chega com a conta e a coloca em frente ao homem protetor e provedor. Se você misturar tudo isso, um simples jantar romântico se torna uma verdadeira armadilha de sobrevivência. Isso coloca a mulher num beco sem saída e a condena pura e simplesmente pelo fato de ser mulher.

Antes mesmo de começar a ler e escrever, as meninas já aprenderam a usar batom e a ter medo de engordar. É cada vez mais comum encontrar maquiagem e tintura para cabelos específicas para crianças. Salto alto, roupas sensuais e tratamentos estéticos fazem parte da rotina de muitas meninas. Estudar, ter vida social e felicidade são valores secundários: o que importa é controlar o próprio corpo para obter a aparência perfeita.

Minha mãe tinha uma manicure que atendia em casa. Eu sempre a via fazendo as unhas e achava aquilo um saco, sem noção demais. Mas, se você achou que eu me tornei uma mulher que nunca fez as unhas, enganou-se. O padrão esmurra a sua porta e do dia para a noite você se vê insatisfeita com algo novo. Um belo dia, com 14 anos, vi uma amiga do colégio com as unhas pintadas de azul. Achei lindo, diferente e pedi à minha mãe para fazer igual. A manicure veio, eu fiz as unhas pela primeira vez e amei. Me senti extremamente feminina, delicada, diferentona... Aí eu cheguei à escola com as unhas pintadas, crente de que isso ia mudar alguma coisa: nada. Só encontrei mais uma forma de gastar tempo, dinheiro e preocupação. Hoje eu faço as unhas vez ou outra, coloco aquelas postiças quando tenho uma "emergência", às vezes uso aquelas de gel, mas vivo 90% do tempo com elas sem esmalte e sem remover as cutículas. Se a pele está ali, por que tirá-la para ser mais atraente aos olhares? Ai, sério. Deve ser tão fácil ser homem.

O mesmo vale para maquiagem, produtos para cabelo, roupas, depilação, dietas. Pare para pensar na quantidade de tempo que você gasta para SER bonita, para TER uma aparência x ou y ou para PARECER ser algo que você nem sabe se é. Quanto tempo da sua vida você ganharia se colocasse muitas dessas coisas de lado? Não estou falando para você não fazer nada, longe de mim. Mas faça um esforço e imagine como seria passar uma semana vivendo como um homem: sem preocupações com maquiagem, cabelo, pelos, ser sensual com decotes ou não, acessórios, bolsas... Os caras se arrumam em 10 minutos. Ponto.

A indústria do casamento lucra muito em cima disso. Uma noiva brasileira que deseja fazer um casamento "dos sonhos" leva alguns meses para "se arrumar" para o dia da celebração. Além de toda a pressão em cima da organização da cerimônia, da festa, dos mínimos detalhes, doces e bolo, a mulher precisa surgir à imagem e semelhança de uma princesa. A noiva precisa emagrecer, entrar em forma, estar com a pele incrível, unhas maravilhosas, maquiagem natural em tom celestial e ainda sorrir e ouvir coisas do tipo "quando vão ter filhos?". O cara no máximo corta o cabelo, compra ou aluga um terno, toma banho, passa um gel e tá pronto. Ainda é ele que vai passar a gravata e pegar dinheiro para a lua de mel (tradição, né?). É um pedaço da gravata que traz grana. A gravata do todo-poderoso, do dono do dinheiro. Deu para entender?

Na origem, o casamento era um ato de aquisição da mulher, em que o noivo "comprava" a noiva. A negociação era selada quando o pai da noiva a conduzia ao seu novo dono. Historicamente as uniões eram forçadas, arranjadas e sempre visavam uma transação comercial de interesse dos homens. A cerimônia era uma parte importante da estabilidade social. Na Idade Média, a Igreja incluiu Cristo na família e o ritual do casamento recebeu a bênção do Senhor, o que tornou a cerimônia familiar, econômica e, também, um sacramento religioso.

Até hoje perpetuamos a história: o véu é um costume da Grécia Antiga, trazido pelos portugueses para o nosso país, e simbolicamente tem a função de proteger a noiva dos olhares de outros homens. Já o ato de jogar pétalas de rosas enquanto a noiva deixa o altar significa que ela terá um caminho de sorte permanente ao lado do seu amado. Sem contar algumas simpatias, como colocar o nome das amigas na barra do vestido para "dar a sorte de desencalhar". É como se uma mulher sem um homem que a ama ao seu lado fosse encalhada, presa, à deriva na espera de um cara que salve a sua vida da solidão eterna. Nos ensinam a sermos caçadas pelo homem, nos ensinam a agradá-los, a chamar atenção deles, a fazer tudo por eles... E por nós, quem faz? Me diz um cara que está encalhado e louco para colocar seu nome debaixo da gravata do noivo para dar sorte e ele arrumar um amor? Pois é.

> **A indústria do casamento lucra muito em cima disso. Uma noiva brasileira que deseja fazer um casamento "dos sonhos" leva alguns meses para "se arrumar" para o dia da celebração.**

> **Aliás, fica a dica: procure "mulher pra casar" no Google. Quando fiz essa busca, encontrei 30,6 milhões de resultados.**

Aliás, fica a dica: procure "mulher pra casar" no Google. Quando fiz essa busca, encontrei 30,6 milhões de resultados. Perceba que todas as matérias são dicas de homens para homens explicando o que se espera de uma mulher pra casar, as diferenças entre esta última e uma "mulher pra se divertir", como se tornar uma mulher pra casar... Quando se começa a ler as dicas, em dois segundos você se liga na maneira como a sociedade lê a mulher e o homem.

Mulher pra casar, em suma, é uma mulher que:

— Tem instinto maternal, quer ter filhos e construir um lar.
— Não transa nos três primeiros encontros, caso contrário é mulher pra se divertir.
— Não teve muitos parceiros sexuais na vida.
— É vaidosa e cuida da aparência, sempre usando roupas discretas, mas que revelam o corpo bem cuidado.

- Prefere ficar em casa a sair com as amigas à noite; não gosta de farra.
- Frequenta livrarias, igrejas, feiras de arte, eventos culturais. Esses são os lugares ideais para encontrá-la.

Enfim, a lista de atributos é interminável. O pior de tudo é que a grande maioria dessas dicas vem de homens, e alguns estão enriquecendo com isso: existem livros e videoaulas que ensinam a mulher a seduzir um homem da maneira correta, como encontrar o par ideal, dicas para que o seu perfil em um aplicativo de namoro seja um sucesso... Tudo isso vindo de homens. Mas são muitos os sites femininos que reproduzem esse mesmo discurso: "aprenda a identificar uma mulher pra casar, saiba a diferença entre ela e a que não presta e seja a pessoa certa para conquistar o seu homem". O foco é que a mulher aprenda a ser diferente para agradar o outro e, finalmente, receber amor.

O engraçado é quando você joga "homem pra casar" no Google. Para mim apareceram apenas 16 mil resultados, e neles não vi dicas sobre como ser um bom homem pra casar. Não existe um manual para ser esse cara. O que vemos são matérias com conteúdos parecidos com os resultados de "mulher pra casar", mas nesse caso são dicas para encontrar um rapaz assim. Pelo número de resultados, dá para ver que todas as mulheres querem ser pra casar, mas ninguém está encontrando homem para isso. Curioso, não? Talvez seja porque eles estejam priorizando passar o tempo com as mulheres pra se divertir.

De uma forma ou de outra, o casamento traz milhões de questões à vida da mulher: ela precisa modificar seu corpo, estar "perfeita" para as fotos e ainda sofrer as consequências de tudo o que faz para se encaixar nas situações de forma impecável. Aliás, esse é o maior argumento de algumas mulheres: "Eu gasto rios de dinheiro com cabelo, unha, depilação e maquiagem; faço dieta, compro roupa nova, perfume novo, me arrumo toda e ainda tenho que dividir a conta com o homem?" Dá para entender. É um saco mesmo fazer de tudo para estar linda. A gente exige o mínimo do boy, né? Aqui vai uma sugestão: exija o mínimo de você mesma. Pare de se odiar.

Porque a verdade é essa: tudo isso que passamos socialmente, como fomos construídas,

> O engraçado é quando você joga "homem pra casar" no Google. Para mim apareceram apenas 16 mil resultados, e neles não vi dicas sobre como ser um bom homem pra casar.

ensinadas e moldadas, nos faz internalizar um verdadeiro ódio por nós mesmas. Ser oprimida não é natural, sofrer por não ser perfeita, como lhe foi ensinado e designado, não pode ser tratado como normal. Mas parece que ser mulher na sociedade é aprender a se odiar. Aprender que a culpa é sua, que você vale menos, que a sua vida é subjugada a um cara, que talvez você morra sozinha, e isso, meu bem, graças à sua incapacidade de "prender" alguém. Afinal de contas, você não vale nada, né? Você não acerta em nada, não tem sucesso na vida... Você é um verdadeiro fracasso. Eles dizem. E querem que acreditemos. Chega.

É pesado o que estou dizendo. Eu sei. Mas imagino que você já tenha se sentido dessa maneira. Isso porque o impacto dessa opressão reflete diretamente, entre outros fatores, na nossa autoestima e insatisfação com o corpo, trazendo à tona transtornos alimentares (anorexia, bulimia, compulsão), doenças mentais (depressão, tendências suicidas) e sequelas que vão perdurar por toda a sua vida (problemas nos dentes, no estômago, desmaios etc.). Por favor, livrar-se dessas amarras é para o seu bem. É para que você viva. Nós somos muito mais do que corpos, muito mais do que aparência.

É por isso que, quando uma mulher julga a aparência de outra, está reproduzindo o machismo, entende? É como se ela ajudasse a alimentar o sistema que a reprime e retroalimentasse a competição feminina. Fazemos isso sem perceber. Fortalecemos o machismo sem precisar dos homens, como se o sistema tivesse chegado a sua "perfeição" de tal forma que nos mantemos escravas das nossas próprias inseguranças e colocamos lenha na fogueira por nossa conta. A diferença é que somos as que mais sofrem. Por isso, é importante que o homem reconheça seus privilégios e que nós, mulheres, lutemos contra essas opressões. Abrir os olhos é o primeiro passo.

O corpo é um produto?

Para cada insatisfação plantada em nós existe uma árvore cheia de galhos e mais galhos com deliciosas frutas que vão saciar as nossas vontades. E, assim como o pecado original na Bíblia, colher uma fruta dessas tem consequências. É preciso pagar um preço. Se você não gostar de maçã, o que não falta é fruta para escolher. O mercado te dá milhares e milhares de opções de consumo e cria novos desejos, de novas frutas que você nem sabia que existia. Você vai precisar aprender a lidar com o fato de que a sua vida nunca mais será tranquila e plena se não experimentar todas as formas de prazer estético disponíveis... Sim, o corpo é um produto.

Sabe quando você está numa roda de amigas e elas começam a falar sobre dieta e como elas estão magras agora? Elas mostram fotos de antes e depois, falam dos sacrifícios que fizeram como se fossem guerreiras vitoriosas e exibem uma cinturinha fina... Depois falam que o que acelerou o processo foi um shake milagroso. O que acontece com você na hora? Sente necessidade de fazer uma dieta depois da conversa? Fica pensando se deveria estar satisfeita ou não com o seu corpo? Fica interessada no shake? Vai pegar essa fruta?

O que fui entendendo durante o meu processo de aceitação é que eu não tinha culpa por me machucar tanto. Que tudo o que eu fazia contra mim mesma era apenas um reflexo do que me foi ensinado desde pequena, resultado de uma sociedade que via o corpo como um produto, e eu precisava sempre de mais e mais para me tornar socialmente aceita, para me encaixar, para valorizar meu passe na vida.

Nós vivemos em um sistema econômico, o capitalismo e, basicamente, ele visa o lucro. Tudo é comerciável, tudo está à venda. É assim que as coisas funcionam no Brasil e no mundo de forma geral. Como falei antes, o corpo se tornou um produto, e sempre existirá algo que se possa comprar para "melhorá-lo". Seja um creme para calos nos pés, maquiagem, produtos para deixar o cabelo "bonito", remédios emagrecedores, esmalte, roupas, creme antirrugas, bálsamo para os lábios, cirurgias plásticas, remédios, produtos de dieta, cintas... É infinito. Se você precisa TER algo para SER daquela maneira, pode ADQUIRIR, COMPRAR... Ter um corpo x ou y se tornou um comércio ultralucrativo, e você continua acreditando que as coisas são como são porque sim. Como já dizia o personagem do Marcelo Tas no *Castelo Rá--Tim-Bum*, "porque sim não é resposta". Vá além do senso comum.

Provavelmente você está doida para comprar uma máscara facial que todas as blogueiras usam, um aparelho eletrônico que vai te ajudar a limpar e esfoliar a pele, um novo produtinho que promete sumir com as celulites ou até mesmo disfarçar as estrias. Será que a coisa que vai mudar a sua vida é usar aquele xampu caríssimo, fazer um procedimento estético ou chegar ao ponto de alterar a sua fisionomia e até mesmo o tamanho do seu estômago? Até onde você vai para se encaixar?

Repare em quantos produtos você usa para o seu corpo, para a sua aparência, para a sua estética... Depois que o corpo se tornou um produto nasceu um ideal a ser atingido (consumido, adquirido). O corpo perfeito, sinônimo do tão falado padrão de beleza. Repare nas capas de revistas, nos assuntos que são estampados nelas, nas celebridades, nos enredos das novelas, na internet, em todos os lugares... O que você vê na maioria dos casos? Pessoas gordas? Negras? Com o cabelo crespo? A verdade é que o padrão europeu permanece vigente: magra, alta, lisa e loira. E nas ruas? Você vê essa galera perfeita da televisão, das propagandas?

A publicidade sempre colocou a mulher como um objeto em perfeitas condições, dos cabelos às unhas dos pés. Tudo nela é bonito, alinhado e alvo de desejo. Isso faz com que a mulher real não se veja nas propagandas porque as modelos não se parecem com ela, criando no imaginário coletivo um ideal a ser seguido e uma insatisfação constante por não conseguir alcançá-lo.

Se você chegar e falar algo do tipo "Nossa, mas hoje em dia tem muitas mulheres negras em propagandas de cabelo cacheado ou crespo", aí eu te falo que, meu amor, é porque existe um mercado gigantesco que o movimento de transição capilar abriu. Para você ter uma ideia, segundo uma pesquisa do Google BrandLab de 2017, pela primeira vez no Brasil houve um número de buscas sobre cabelo cacheado maior do que sobre cabelo liso. Um crescimento de 232% em relação ao período anterior. Isso é maravilhoso, um sinal de que estamos no caminho da libertação da chapinha e dos alisamentos. Mas aqui vai um momento "acorda pra vida": são números que decidem se você vai ser representada ou não. Se tem demanda, se vende, está valendo. E outra: não se vende um cabelo cacheado; se vende um cacho perfeito, moldado pelo padrão. Ou seja, o que está em alta é um cabelo com uma curva perfeita, sem frizz, hidratado, domado, controlado... Entende?

A publicidade sempre colocou a mulher como um objeto em perfeitas condições, dos cabelos às unhas dos pés. Tudo nela é bonito, alinhado e alvo de desejo. Isso faz com que a mulher real não se veja nas propagandas porque as modelos não se parecem com ela, criando no imaginário coletivo um ideal a ser seguido e uma insatisfação constante por não conseguir alcançá-lo. Ao mesmo tempo que alimenta a indústria de revistas feitas para se ter uma "boa forma", com receitas, exercícios e dietas milagrosas.

"Veja a lista de 6 tratamentos para melhorar a flacidez da pele"
"Aprenda a clarear os dentes e mostre um sorriso lindo"

"Cardápio de emergência para perder 3 kg em 3 dias"
"Acabe com os pelos fazendo depilação a laser definitiva"
"Lista de 5 exercícios para conquistar uma barriga negativa"

Hoje, muito além dos danos da publicidade tradicional de televisão e revistas, o Instagram se tornou a rede social mais nociva à saúde mental. Segundo uma pesquisa de 2017 realizada pela instituição de saúde pública do Reino Unido, Royal Society for Public Health, em parceria com o Movimento de Saúde Jovem, 90% das meninas de 14 a 24 anos que usam a rede social todos os dias se sentem infelizes com seus corpos e pensam em mudar a própria aparência, cogitando, inclusive, procedimentos cirúrgicos. Não quero demonizar o Instagram, até porque eu uso e adoro. Mas o copo, nesse caso, está meio vazio. Isso porque infelizmente a rede social é o foco de todas as publicidades atuais: seja em vídeo ou foto, todo mundo é feliz, rico e perfeito nessa plataforma. Pare para pensar em quantas pessoas que você segue que te fazem um mal danado. Vida perfeita não existe, mas isso que é exibido lá. Uma verdadeira máquina de insatisfações.

Para que você tenha uma ideia clara, real e recente disso, em maio de 2018 faleceu Nara Almeida. Nara era uma maranhense de 24 anos que ficou conhecida ao vender roupas pela internet, onde ela se colocava como garota-propaganda de suas próprias peças. Em agosto de 2017, somando mais de 400 mil seguidores no Instagram, ela descobriu uma doença grave depois de sofrer com gastrite e dores na barriga: um câncer no estômago, raro e em estágio avançado. Nara, que já morava em São Paulo nessa época, decidiu compartilhar sua história na plataforma e começou a crescer muito em números de seguidores. Ela era uma mulher considerada padrão e tentava passar alegria para as pessoas, mesmo lutando todos os dias contra a doença entre sessões de quimioterapia e a descoberta de novas medicações.

Conforme o tempo foi passando, ela emagreceu cada vez mais por causa do tratamento contra a doença. Nessa época, Nara decidiu ir à praia, pois estava com medo de nunca mais ter essa oportunidade. Ela sempre postava fotos do seu dia a dia e, de biquíni, falou sobre como era estar na praia. Essa foi uma das fotos mais curtidas da sua conta no Instagram e a que teve a maior quantidade de comentários a respeito do seu corpo. "Eu queria ser magra assim"; "Que sonho essa cintura"; "Eu queria ter o seu corpo"; "Se for pra ficar assim, também quero ter câncer"; "Passa essa doença pra mim"... Parece inacreditável, mas é real.

Nessa foto específica, Nara, que media 1, 60 m, estava pesando 40 quilos, 17% a menos do que o considerado "normal" de acordo com o IMC (Índice de Massa Corpórea). Eu problematizo esse índice, mas não vou entrar nesse mérito agora. Só quero que você perceba, já que muita gente leva essa matemática a sério, o nível em que as pessoas chegaram. Nara condenou esses comentários e disse que estava magra daquele jeito porque não comia, se alimentava apenas por uma sonda nasal, presente em todas as suas fotos. Mas o que é uma sonda diante de um corpo perfeito, né? Ninguém nem repara. É o preço que se paga.

Em maio de 2018, Nara estava internada havia vários dias, já tinha emagrecido além da conta, pesava 33 quilos e seu corpo não suportou mais receber morfina para a dor. Ela foi sedada para não sentir dores e nunca mais acordou. Desde o dia de sua morte até o momento em que escrevo ela já ganhou mais de 1 milhão de seguidores no Instagram (totalizando 4 milhões e 200 mil). Até hoje tem gente que curte, comenta e quer ter o corpo de Nara. Que ela descanse em paz.

E as pessoas seguem sendo influenciadas por imagens de mulheres perfeitas. A aparência fala mais alto. Provavelmente boa parte da galera que comentava desejar ter o corpo de Nara nem se deu conta de que a menina sofria com câncer. E infelizmente as imagens dela com 40 quilos vão se perpetuar como exemplo para muitas meninas que buscam aquele tipo de imagem, a de um corpo com ossos saltados. Basta uma pesquisa rápida na internet no submundo da anorexia (Ana) e bulimia (Mia) que as fotos da maranhense surgem.

> **Até hoje tem gente que curte, comenta e quer ter o corpo de Nara. Que ela descanse em paz.**

"Garotas bonitas não comem": uma vida baseada em transtornos alimentares

Impossível ignorar Ana e Mia. Elas fizeram parte da minha vida por um bom tempo, mas só no ano passado descobri que fui, de fato, anoréxica e bulímica. Soa estranho escrever essa frase, porque meu sonho sempre foi conseguir ter esses transtornos. Eu fazia orações de ódio-próprio (elas realmente existem; estão nesses blogs até hoje e são deploráveis), afirmando todos os dias que era uma porca nojenta por não conseguir emagrecer, não conseguir ficar sem comer, não me exercitar direito, esquecer de tomar laxante, diurético... Nada foi mais prejudicial para a minha saúde mental do que essa época, e eu carreguei os "ensinamentos" dessa fase por longos anos.

A anorexia nervosa é um distúrbio alimentar. A pessoa que enfrenta esse transtorno tem receio de engordar, quer emagrecer "até sumir", tem uma vontade intensa de ser magra, se força a ter restrições alimentares e vê uma imagem distorcida de si mesma, sem conseguir enxergar a sua verdadeira aparência no espelho. Não é preciso ser extremamente magra para ser anoréxica — e isso foi uma surpresa para mim, sabe? Era o detalhe que faltava para eu pegar minha carteirinha de Ana: a magreza excessiva tão almejada.

Já a bulimia era algo que eu praticava todos os dias e não fazia ideia. É, também, um transtorno alimentar em que a pessoa comete um ato de compulsão, come demais, "até entalar" (era isso que eu queria mesmo, entalar), depois se arrepende e procura formas de colocar a comida para fora. O sentimento de culpa a faz vomitar o alimento ou tomar laxantes e diuréticos para "expurgá-lo" de outra forma, além da prática de exercícios de forma extrema para "queimar as calorias" ingeridas. Essa era a minha vida. Para evitar a Mia eu tentava ser Ana, e esse ciclo se retroalimenta o tempo inteiro.

Quero deixar claro que esse problema faz parte da nossa realidade atual e pode afetar qualquer pessoa, de qualquer idade, em qualquer canto do mundo. Desde 2015, a irlandesa Milly Tuomey preocupava seus pais. Isso porque a menina, com 11 anos, estava matriculada em um acampamento psicológico cujos responsáveis descobriram um diário em que ela falava sobre a vontade de morrer. Os pais passaram a acompanhar o seu estado de perto e a se manter em constante vigilância. Em janeiro de 2016, ela estava em tratamento e demonstrando melhora quando subiu para o quarto após a refeição pedindo para ficar sozinha. Disse que estava entediada. Ela havia se cortado e escreveu a frase "garotas bonitas não comem" (a máxima da anorexia) com o próprio sangue. Foi encontrada em estado crítico e morreu após três dias internada no hospital.

Infelizmente, Milly era apenas mais uma nas estatísticas de mulheres insatisfeitas com o corpo. Mesmo aos 11 anos de idade. Se quebrar padrões sobre o corpo não é uma urgência mundial, eu não sei mais o que é.

Parece um chip implantado na sua cabeça. A indústria da beleza faz uma lavagem cerebral para que nos sintamos infelizes, insatisfeitas e incomodadas com quem somos. Encontramos insatisfações em nós mesmas que não existiam antes. Lembra da minha história com o silicone? Tudo ao nosso redor bate constantemente na tecla da mudança, da transformação, da melhora imediata. Somos colocadas diariamente frente a frente com padrões e estereótipos ditados de acordo com a construção social capitalista. A insatisfação é constante, pois a busca por qualquer coisa reforça em nós, o tempo inteiro, que não temos essa coisa. Sair desse ciclo é difícil demais, e, em diversos casos, muitas vezes não saímos dele com vida.

O Instagram fez brilhar uma nova categoria de influenciadores: as musas fitness

Não é à toa que o Instagram seja uma rede social nociva à saúde mental. E já existe todo um mercado de pessoas que geram a sua renda da publicidade feita na plataforma. Eu mesma, como youtuber, me beneficio disso. No entanto, vou falar especificamente de uma categoria de influenciadora que nasceu de uma cultura que ama estar insatisfeita: as musas fitness. Sabe aquela tia sua que vive dando pitaco na maneira como você come, como cuida do seu corpo, aquela que vive dando dicas? As musas fitness são como essa sua tia, mas têm a barriga negativa e milhões de seguidores. São mulheres perfeitas, saradas, que têm uma vida encantadora, uma alimentação impecável, uma rotina de exercícios comparada à de um atleta e um vasto conteúdo recheado de conselhos para você ficar exatamente como elas. Parece tentador, não?

Segundo uma pesquisa das universidades australianas de New South Wales e Macquarie, de 2017, passar 30 minutos por dia observando um perfil fitness já é suficiente para você se sentir mal consigo mesma, porque inconscientemente surge a comparação com a pessoa que está na imagem. E os danos vão além. De acordo com a pesquisa,

Infelizmente, Milly era apenas mais uma nas estatísticas de mulheres insatisfeitas com o corpo. Mesmo aos 11 anos de idade. Se quebrar padrões sobre o corpo não é uma urgência mundial, eu não sei mais o que é.

quanto mais as mulheres observam e se alimentam desses conteúdos, mais odeiam o próprio corpo e mais valorizam a aparência, pensando em tudo o que podem fazer para atingir aquele padrão. Fica claro que aquilo não tem nada a ver com saúde, e sim com aparência, com conquistar e manter aquela forma física. Isso, a longo prazo, de acordo com o estudo, pode causar problemas de saúde mental, anorexia, bulimia, compulsão e ansiedade.

Bom, eu me inspirei na forma como as musas fitness trabalham na internet para exemplificar como a nossa sociedade enxerga a relação com o corpo e como essa cultura da perfeição é prejudicial a todos. Por isso, seguem 8 pontos de atenção:

1) A maioria das musas fitness não é profissional de nutrição ou educadora física

A grande esmagadora maioria das musas fitness não é nutricionista ou educadora física, o que é um problema gigantesco, já que elas indicam exercícios, treinos exaustivos, receitas e dietas afirmando que aquilo é o que dá certo com elas "e você pode fazer também". Essa prática é condenável. Em 2017, Gabriela Pugliesi recebeu uma queixa-crime por exercício ilegal da profissão de educador físico por ministrar aulas de ginástica na Praia da Barra, no Rio de Janeiro, em um evento comercial. O exercício ilegal da profissão é considerado uma contravenção penal, de acordo com a Lei 3.688, de 1941 (Lei das Contravenções Penais), que prevê pena de prisão simples de 15 dias a 3 meses ou multa. Para resolver essa situação, é comum ver nos perfis dessas mulheres o endosso de um nutricionista ou personal trainer. Esses profissionais também estão presentes nos eventos presenciais que elas promovem.

> Segundo uma pesquisa das universidades australianas de New South Wales e Macquarie, de 2017, passar 30 minutos por dia observando um perfil fitness já é suficiente para você se sentir mal consigo mesma

De acordo com o presidente do CREF 1 (Conselho Regional de Educação Física do Rio de Janeiro e do Espírito Santo), André Fernandes, essas práticas são perigosas. "Ao se exercitar sem a orientação, a pessoa pode exceder os limites do corpo, realizar exercícios incorretos, causar lesões musculares além de riscos mais graves. O que seria um benefício pode se tornar um risco à saúde, pois o exercício físico é praticado sem orientação e nem sempre o resultado é o esperado", afirmou em entrevista ao jornal *O Globo* em 2017.

Ou seja, fique atenta às dicas que recebe de saúde de qualquer pessoa que não seja profissional do assunto.

2) Não existe resultado imediato

Antes de iniciar o meu processo de aceitação, eu seguia muitas musas fitness, que davam dicas de dietas e exercícios para que eu ficasse tão magra e sarada quanto elas. Lembro de que, quando eu acompanhava diariamente a vida delas, era comum ler frases do tipo "vamos perder peso para arrasar no carnaval!"; "o ano-novo está chegando, meninas. Quem vai conseguir usar branco?"; "se você quer exibir um corpão de praia, comece a esculpir seus músculos" — e por aí vai. É uma abordagem que te coloca em estado de emergência e vigilância total para que o objetivo — que você simplesmente aceitou, sem refletir — seja atingido.

É engraçado porque isso me lembra muito a época em que as revistas faziam sucesso. Esse estado de alerta sempre nos foi empurrado goela abaixo em publicações como *Boa Forma* e *Corpo a Corpo*: "Dieta de emergência para o carnaval"; "Cardápio para seguir e secar 3 kg em 3 dias"... Isso era comum: o seu corpo era colocado como calamidade pública, precisando ser esculpido, moldado e esvaziado rapidamente. Essas revistas ainda existem, mas o público está todo na internet e as musas fitness continuam a reforçar a ideia de que precisamos perder peso e ganhar músculos o mais rápido possível.

Resultado imediato não existe. É humanamente impossível ganhar ou perder uma quantidade considerável de peso ou de músculo em pouco tempo e com saúde (alguém lembra dela?). O seu corpo não está precisando de um choque, de um detox, de uma dieta com 300 calorias por dia, nem mesmo de exercícios físicos exaustivos para ser bonito. Ele só precisa de carinho, atenção e cuidado. Saia desse estado de alerta, de tudo pra ontem... Saia da neurose de emagrecer 10, 20, 30 kg em um mês. Só te faz mal, só te coloca pra baixo. Te faz entrar num ciclo de insatisfação eterno. Perceba que o foco está sempre na aparência: a saúde física e a saúde mental são deixadas de lado, como se quando você atingisse aquele corpo específico fosse estar com a sanidade perfeita. Só que não.

3) Os "conselhos" que elas dão são prejudiciais à saúde física e mental

Acredito que nessa parte específica é onde mora o perigo. Algumas dicas que elas dão são absurdas e podem, de fato, prejudicar a sua saúde física e mental. Gabriela Pugliesi tem uma coleção de "conselhos". A baiana publicou em seu Snapchat, em 2016 (hoje o Stories do Instagram tomou o seu lugar), uma dica simples para "não furar a dieta": tirar uma foto pelada (um nude), enviar para uma amiga e pedir para ela vazar essa imagem caso se coma alguma "besteira" (!!!!!!!!). Socorro.

Tem outro que deixa claro um transtorno alimentar: para "comer" chocolate sem engordar, basta mastigar um pedaço, sentir o sabor e cuspir para não ingerir gordura e açúcar. Essa prática é muito comum em grupos de anorexia e bulimia, nos quais é amplamente disseminada. Outro "conselho" dela é para fechar com chave de ouro. No caso, ódio: comer pelada em frente ao espelho. Isso seria uma forma de sentir vergonha e comer menos. É, na verdade, um exercício de ódio ao próprio corpo. Terrível em todos os sentidos.

> **Resultado imediato não existe. É humanamente impossível ganhar ou perder uma quantidade considerável de peso ou de músculo em pouco tempo e com saúde (alguém lembra dela?).**

Se você acha que isso é um ataque pessoal a Pugliesi, está errada. Ela foi a primeira musa fitness a brilhar na internet, e tem uma galera que chegou depois dela que faz o mesmo desserviço. Malhar em jejum, praticar exercícios com plástico filme enrolado no abdômen, dieta com 300 calorias, cheirar a comida, beber água e fingir que é comida, fazer montagens da sua cabeça em outro corpo, colocar foto sua pelada na porta da geladeira, passar um dia na sauna para desinchar... Não acaba. Não é um ataque, é um baita alerta. Isso sim é uma emergência. As pessoas acreditam nisso, seguem esses conselhos e estão acabando com a sua saúde mental, desenvolvendo transtornos alimentares, além de um movimento de autodepreciação gigantesco no qual o seu corpo se torna motivo de vergonha até mesmo para você! É você aprendendo a se odiar constantemente.

Tem outro que deixa claro um transtorno alimentar: para "comer" chocolate sem engordar, basta mastigar um pedaço, sentir o sabor e cuspir para não ingerir gordura e açúcar.

É só dar uma circulada nos comentários das fotos dessas pessoas para encontrar mensagens do tipo "eu tentei e passei mal"; "fiquei sem comer e desmaiei"; "fui só sentir o gosto da comida e acabei comendo, tive que vomitar"; "sou uma gorda imunda; não consegui ficar só cheirando a comida"...

São os mesmos "conselhos" que encontramos em páginas e blogs sobre anorexia e bulimia.

E, quando isso acontece, mesmo assim rola um incentivo da parte das blogueiras que. "Você vai se acostumar!"; "Tá com fome? Bebe água até passar"; "Força, foco e fé que você consegue"; "No começo é assim mesmo"; "Tem que insistir pra dar certo"; "Foca no objetivo". A essa altura eu imagino que uma pessoa que faz tudo isso nem sabe mais qual é o seu objetivo. A obsessão é tamanha que se forma um ciclo de ódio a si mesma em que nada dá certo, nada funciona. Sei bem como é isso.

São os mesmos "conselhos" que encontramos em páginas e blogs sobre anorexia e bulimia. Talvez eu não precise falar mais nada, né?

4) Os desafios criados são irreais e incitam a competição

Outra prática muito comum na cultura fitness é a de desafios. Você já entendeu que o corpo é um produto, né? Sempre surge uma nova coisa a ser adquirida e conquistada, e é isso que os desafios fazem: você cria uma insatisfação e, automaticamente, uma nova necessidade. "Quantas moedas cabem paradas na sua saboneteira?" Faça o teste para saber se o osso é bem fundo e você é realmente magra. "E o espaço entre as coxas?" Aquele vão entre as pernas, não deixando que elas se encostem, é superdesejado. Fora a virilha sarada, a nuca magra, os braços superfinos...

Em 2016, a moda era postar uma foto, quem conseguisse, encostando no umbigo com as pontas do dedos, passando o braço pelas costas, pela cintura e... Talvez você esteja tentando fazer isso agora enquanto está lendo. Bem, é impossível, porque, além de demandar elasticidade, só quem é magra demais consegue. A sua cintura tem que ser extremamente fina, você não pode ter barriga, nem gordura nas costas ou no braço. Talvez agora você se sinta meio idiota por ter tentado, mas, enquanto eu escrevia, fiz o mesmo (e a minha mão não encosta nem na cintura haha).

E sempre piora. Já ouviu a expressão "barriga negativa"? Saiu dessa prática de desafios. Lembro como se fosse hoje: em 2013, a modelo sul-africana Candice Swanepoel postou uma foto em que seu abdômen estava "para dentro", com os ossos dos quadris ressaltados e pontudos, o que desencadeou uma série de insatisfações pelo mundo, porque todas as mulheres queriam mostrar que são tão magras e saradas que até a barriga é pra dentro. Só se falava disso na época, e até revistas consagradas como a *Vogue* fizeram questão de ensinar as leitoras a "chegarem lá".

> Ainda hoje se fala em ter barriga negativa, mas a moda evoluiu e, em 2017 surgiu a "linha" no abdômen, o "ab crack". Mais do que ser negativa, a moda agora é ter na barriga um vão, um vinco.

Em 2014, a nova mania foi a "bikini bridge", expressão usada para descrever quando a calcinha fica longe da barriga por conta dos ossinhos saltantes do quadril. Nessa fase, as meninas postavam fotos deitadas na praia ou na piscina, de biquíni e com a visão a partir do abdômen, de cima. Quanto maior o vão, mais maravilhosa você seria.

Ainda hoje se fala em ter barriga negativa, mas a moda evoluiu e, em 2017 surgiu a "linha" no abdômen, o "ab crack". Mais do que ser negativa, a moda agora é ter na barriga um vão, um vinco.

Qual o problema disso tudo? Bom, além do fato de essa cultura de desafios gerar competição entre as mulheres, já que elas ficam postando e vigiando os corpos umas das outras, num misto de amor e ódio por quem consegue, não podemos mudar a biologia. É humanamente impossível conseguir alterar a forma que o seu corpo encontra de estocar gordura, e para removê-la por completo só existe uma solução: secar. Pare para observar os corpos de meninas anoréxicas e você vai ver que a maioria delas possui todos os "atributos" desejados nos desafios. Só que a estrutura do seu corpo não foi feita para ser desse jeito. Se você é naturalmente assim, é porque faz parte da sua constituição física. Caso contrário, desista. A menos que se perca uma quantidade de peso extrema, isso nunca vai acontecer. E está tudo bem, não está?

5) Não existe dieta impecável. Dieta, meu amor, foi feita para dar errado

Parte do trabalho das musas fitness é falar de alimentação, dar dicas de receitinhas fit, suplementação, vitaminas, shakes... Tudo light, saudável e perfeito. Aqui entram os chás, sucos e comidinhas da moda: já tivemos a época do chá verde, do chá branco, de hibisco, do whey protein (até hoje), da tapioca, da chia, do gojiberry, da manteiga ghee, do óleo de coco. Aliás, antes de seguirmos nesse assunto: repare que alguns desses alimentos viraram, inclusive, matéria-prima de cosméticos para a pele e cabelo. Basta uma circulada rápida na Ikesaki aqui em São Paulo (perfumaria com vários andares de produtos de beleza) que você encontra xampu com whey protein, condicionador em formato de halter, shake para os cabelos... Os conceitos se propagam facilmente. E, claro, tem coisas que são boas e funcionam. Eu mesma amo um óleo de coco, não vou negar haha.

O que rola no Instagram é facilmente encontrado nas revistas, na televisão: a cultura da dieta. No livro *O peso das dietas*, a nutricionista francesa, naturalizada brasileira, Sophie Deram, de 50 anos, doutora em endocrinologia e pesquisadora da Universidade de São Paulo, desconstrói o mito das dietas e afirma que 95% das pessoas que emagrecem fazendo regime voltam a engordar, muitas vezes indo para um peso maior do que o inicial.

Isso me lembra a época em que tomei sibutramina, anfetamina que é prescrita até hoje por médicos e responsável pelo emagrecimento "instantâneo" de muitas celebridades. Remédio não é dieta, mas se liga: quando eu tomava, não sentia fome. Eu não sentia fome MESMO. Até um copo d'água me enchia o estômago. Parecia mágica: eu não precisava comer nunca, dava uma garfada em qualquer coisa e ficava satisfeita. Emagreci muito rápido. Em 10 dias, já estava com as roupas largas e feliz comigo mesma, apesar de estar com a boca seca, fraca, desmaiando e vomitando as coisas que não paravam no meu estômago, porque tudo me enjoava. Eu achava que era apenas efeito colateral e que logo me acostumaria com a medicação.

> O que rola no Instagram é facilmente encontrado nas revistas, na televisão: a cultura da dieta.

Na segunda semana, eu estava indo embora do meu estágio, depois de um dia inteiro sem comer, como de costume, e percebi que precisava "botar alguma coisa pra dentro" para evitar passar mal. Decidi tomar um chocolate quente pequeno e fui embora para casa. No ônibus, comecei a ter muita náusea, enjoo, e não foi nem um vômito: eu cuspi chocolate nas pessoas. Não parava nada no meu estômago.

Parei de tomar o remédio e, em duas semanas, engordei mais do que antes. Nessa época eu lembro de ouvir a médica me dizer que remédios assim precisam ser "desmamados", porque o corpo está morrendo de fome e precisa se alimentar já que não está sendo mais "inibido" de comer. E basicamente é assim que as dietas funcionam. Como uma droga.

Na série *Explicando*, da Netflix, tem um episódio que se chama "Por que as dietas dão errado". Em 15 minutos você consegue entender tudo de forma simples e clara. O maior questionamento é a respeito do "dar certo". A reflexão é a seguinte: se existem tantos produtos, fórmulas e maneiras de perder peso, por que as pessoas continuam insatisfeitas e não conseguem "chegar lá"? Se dezenas de estudos dizem que as pessoas que fazem dieta perdem pouco peso e depois o recuperam novamente, por que ainda continuamos a fazer dietas? E por que as dietas falham?

Segundo uma pesquisa mostrada no episódio, o americano faz uma média de 5 dietas ao longo da vida. Quando se fala especificamente de mulheres americanas, esse número sobe para 7. O mais engraçado é que sempre surgem novas dietas, mas, na verdade, se prestarmos atenção a cada uma delas, veremos que são todas parecidas e voltam com uma novidade qualquer só para chamar atenção, porque no fundo são todas iguais, muitas vezes sem nenhum respaldo científico, como as famosas dietas lowcarb, paleolítica, Dr. Atkins, a do tipo sanguíneo...

Para provar isso, no episódio é mostrado um experimento feito com 609 pessoas separadas aleatoriamente em dois grupos: um deles iria fazer dieta lowcarb (pouquíssima ingestão de carboidrato) e outro faria dieta lowfat (pouca ingestão de gordura) durante um ano. Depois desse tempo, o resultado foi impressionante: teve gente que perdeu peso, mas a maioria não, e alguns até engordaram. Por que a dieta funciona para uns e para outros não? A resposta é clara: a grande maioria das pessoas não consegue seguir o planejamento alimentar restrito. E muita gente ainda vê isso como sinal de fracasso, por que a indústria de dietas te mostra o tempo inteiro fotos de antes e depois, "casos de sucesso" de pessoas que emagreceram e mudaram a sua vida, fazendo você achar que ter sucesso é emagrecer. Se você ainda não emagreceu é porque a luta ainda não acabou. "Um dia você chega lá!"

Um grande exemplo disso é o programa *The Biggest Loser* (Grande Perdedor, em português), reality show americano que aprisiona um grupo de pessoas gordas durante meses em uma espécie de centro de reabilitação. Os participantes ingerem pouquíssimas calorias e fazem exercícios físicos de forma extrema, todos os dias, durante meses. Para piorar, é uma competição: quem emagrece mais, ganha. O maior perdedor de peso leva o prêmio, que é uma quantia enorme de dinheiro. Você fica em um lugar com total vigilância de câmeras, médicos e personal trainers te dizendo o que fazer, chega ao "corpo perfeito" e é premiado em dinheiro por isso. Quem não iria amar participar de uma atração dessas? Essas pessoas perdiam cerca de 50 quilos em 7 meses! A minha maior frustração quando eu conheci esse programa era que não existia uma versão brasileira ainda, porque era o meu sonho ter gente ao meu redor me impedindo de "ser errada", de ser gorda, me obrigando a ser perfeita.

O médico americano Kevin Hall, investigador do Instituto Nacional de Saúde dos Estados Unidos, fez uma pesquisa com os ex-participantes desse reality show durante seis anos e constatou que, após a competição, a maioria recuperou, em média, dois terços do peso perdido e o metabolismo desacelerou (o metabolismo é basicamente a energia que nós temos para manter nossos tecidos e células vivas). É a mesma coisa que acontece com pessoas que fizeram cirurgia bariátrica: boa parte volta a engordar.

De acordo com Kevin, nossos corpos são muito resistentes às mudanças de peso, especialmente quando se trata de perder peso. O problema é que uma grande perda de peso afeta a forma como o seu organismo funciona e atinge diretamente a leptina, hormônio que diz ao seu cérebro o "tamanho" da sua fome. No episódio da série, o médico aponta que estudos afirmam que a quantidade de leptina diminui após o emagrecimento. E, no fim do *The Biggest Loser,* mal dava para encontrar leptina no sangue dos participantes, o que configura um golpe duplo: você queima menos calorias, emagrece e depois quer comer ainda mais calorias, porque seu corpo está, de fato, morrendo de fome. E mesmo assim você se sente uma fracassada.

Você faz dieta, se mata nos exercícios, toma suplementos, shakes, faz de tudo e não consegue. A ideia de sucesso em conseguir atingir uma aparência desejável é constantemente reforçada, portanto não conquistar o objetivo é um fracasso. E o medidor do seu sucesso é um número na balança? A solução é aceitar o fracasso e tentar novamente, e de novo, e mais uma vez, porque o que nos é vendido o tempo inteiro é que uma hora você "chega lá"! Isso te coloca num ciclo interminável de restrição, purgação, compulsão alimentar e outros tipos de transtornos.

Nós não somos mais ativas nem nos alimentamos bem pra sermos mais felizes, saudáveis e vivermos melhor. Fazemos dieta para ficarmos magras. "Perder o controle" do seu corpo e ingerir uma quantidade imensa de comida é o comportamento natural de um corpo que está passando fome e precisa se alimentar. Não é à toa que se manter nesse

> **O problema é que uma grande perda de peso afeta a forma como o seu organismo funciona e atinge diretamente a leptina, hormônio que diz ao seu cérebro o "tamanho" da sua fome.**

ciclo está relacionado a taxas mais altas de depressão, distúrbios alimentares e problemas de saúde. Se você acha que isso é uma invenção, esse ciclo tem um nome e com certeza você conhece: efeito sanfona, o eterno emagrecer e engordar.

Além disso, Kevin aponta para algo que não podemos controlar com nenhuma dieta, remédio ou produto: nossos gens. Segundo o médico, mais de 50% nas variações de peso das pessoas se deve à genética. Isso não quer dizer que ela vai definir o seu peso, mas alguns genes aumentam a tendência a ter mais ou menos peso no corpo. De qualquer forma, está bem claro que saúde nunca foi a pauta nesses programas: o foco sempre foi na aparência. Aliás, em todo lugar: ninguém está preocupado com a sua saúde, mas sim com a maneira como você aparenta.

Meu amigo Bernardo, que também tem um canal no YouTube, o *Bernardo Fala*, tem um vídeo intitulado "Dieta foi feita pra dar errado" que mostra todo esse cenário. No vídeo ele explica que a fisiologia humana é configurada para garantir a manutenção do seu peso e ela não gosta de ser contrariada. É instinto de sobrevivência. Na época em que havia menos comida, sobrevivia quem conseguia acumular gordura. O seu corpo adora fazer isso e vai batalhar contra você para não reduzir esse estoque. Em suma, ter pouca gordura no corpo mata (isso não quer dizer que eu estou falando para você ter muita gordura do corpo, tá?).

Entenda uma coisa: não querem que você saia desse ciclo. Não querem que você emagreça. Querem você esteja em constante vigilância e desespero em relação ao seu peso, corpo, alimentação, à sua aparência como um todo. É isso que movimenta o mercado. É o dinheiro do seu chá emagrecedor que banca as pesquisas para dizer que você precisa fazer dieta. Mas vamos falar em números.

Não existe essa pesquisa da indústria de dietas no Brasil, mas os Estados Unidos servem como referência, já que lá 69% da população adulta está "acima do peso" (no Brasil esse número cai para 53%). Só nos EUA, a indústria da dieta fatura o equivalente a 60 bilhões de dólares ao ano (10 bilhões a mais do que o valor gasto pelo governo americano com incentivos à saúde). Nesse número diversos setores são levados em conta: comidas prontas, shakes, alimentos light, diet e zero; adoçantes, vídeos de exercícios, spas, sites de consultoria nutricional, remédios para emagrecer... É um mercado gigante. Ninguém quer te ver saudável, magra, com uma aparência agradável. Só querem o seu dinheiro, e a insatisfação faz o seu dinheiro girar tudo isso. Portanto, toda e qualquer comunicação a esse respeito vai, sim, gerar algum tipo de insatisfação. É inerente.

A cultura da dieta faz a alimentação se tornar um pecado, um castigo. E esse modelo de pensamento é construído a partir de tudo isso que o mercado coloca na sua cabeça somado ao fato, principalmente aqui no Brasil, da gula ser um pecado capital. Novamente, somos um país majoritariamente cristão, e a ideia de que comer demais é errado está em nossa construção social. Se a comida me engorda, é um pecado comer demais, e eu, como mulher, deveria comer menos. Talvez seja melhor não comer nunca. É isso o que uma galera faz, inclusive.

Voltando para as musas fitness, elas são fruto dessa cultura de dieta. Portanto, divulgam suas comidinhas da terra, fit e saudáveis nos posts, reforçando o imaginário de que "você vai chegar lá". É curioso que ninguém pare para pensar numa coisa: você só posta aquilo que quer que os outros vejam nas redes sociais. Você acha mesmo que uma pessoa que ganha a vida com o corpo, a imagem, vai compartilhar que "furou a dieta", "pisou na jaca", "hoje não quero malhar"? Não. A expectativa em cima delas é enorme; esse é o trabalho delas. Elas têm que ser um exemplo. Então você acredita que existe esse mundo dos unicórnios em que aquela mulher nunca fura a dieta e pensa: "Se ela consegue, eu também consigo."

Eu já fiz dieta restritiva e seguia direito por algumas semanas, dois meses, mas isso me isolava da sociedade. Eu ficava depressiva, sozinha, até que decidia sair da dieta, porque se quisesse conviver com a minha família, conviver com os meus amigos, ir a um aniversário, eu tomava uma cerveja ou outra, comia um pedaço de bolo ou outro e a dieta ia para o lixo. Mesmo de dieta, mesmo paranoica, louca e me culpando por isso, eu comia. Depois voltava com uma dieta nova na segunda-feira. "Dessa vez vai", eu dizia para mim mesma. E assim seguiu por todas as segundas-feiras ao longo de 26 anos.

A cultura da dieta faz a alimentação se tornar um pecado, um castigo. E esse modelo de pensamento é construído a partir de tudo isso que o mercado coloca na sua cabeça somado ao fato, principalmente aqui no Brasil, da gula ser um pecado capital.

As dietas tornam péssima a nossa relação com a comida: o alimento passa a ser ao mesmo tempo o maior inimigo (engorda, é tentador, faz mal) e o melhor amigo (dá energia, completa, deixa feliz, preenche). Fico pensando que foi mesmo um ato revolucionário parar de fazer dietas. Eu saí de uma prisão. Minha vida deixou de ser contar calorias, viver obcecada e em constante vigilância, o que tomava todo o meu tempo. Agora eu podia pensar em outras coisas, até em ser feliz! E olha que louco: desde que parei de fazer dietas, há 3 anos, eu nunca mais sofri com o efeito sanfona. É a primeira vez, depois de 26 anos, que eu mantenho meu peso há tanto tempo e não perco roupas. É também a primeira vez que eu consigo entender como é a minha alimentação. Descobri que como muuuuito menos do que eu achava que comia e que nunca fui compulsiva: era apenas uma reação à dieta do momento. Na real eu descobri uma outra pessoa. E parar com isso foi a atitude mais consciente e saudável que eu adotei até então, porque finalmente eu tenho uma relação saudável com a minha alimentação.

6) O uso do Photoshop + cirurgias plásticas e estéticas

Esse ponto poderia ter um livro inteiro dedicado a ele, porque tem tanta história, tantos dados e fatos que nossa... Já se sabe que no Instagram nós postamos fotos. Ele surgiu essencialmente para isso. Aliás, no início tinha muito mais a função de álbum de fotos do que qualquer outra coisa. Hoje existem cursos, estudos, dados e estatísticas para driblar o algoritmo e fazer um post seu render mais, porque o Instagram se tornou uma plataforma de mídia, de propaganda. E é por isso que devemos falar sobre as imagens que são publicadas nele.

São incontáveis os casos de musas fitness que usam em suas fotos o artifício de manipulação de imagens, seja no Facetune ou no Photoshop. Algumas assumem, outras negam até a morte, mas a internet não perdoa. Afinal, como elas trabalham com o corpo, cada minúcia daquela perfeição esculpida é avaliada. Gabriela Pugliesi teve alguns casos apontados. Em fevereiro de 2017, ela postou uma foto de biquíni no Instagram e poderia ser apenas mais uma imagem com milhares de likes não fosse por um descuido. O fotógrafo responsável pelo clique também publicou a foto, só que com uma diferença: a dela estava modificada, a dele não.

Os fãs da baiana logo perceberam e começaram a comentar pedindo que ela se posicionasse. O fotógrafo deletou a imagem do seu perfil e ela respondeu, depois de muita pressão, no Snapchat, confirmando que tinha feito retoques na foto porque estaria "inchada". E que isso, para ela, não era problema algum: ela mudava o que sentia estar feio, a menos que, por exemplo, fosse a cor dos cabelos ou dos olhos. Claro, até porque mudar a cor dos cabelos e dos olhos é o maior dos problemas nisso tudo, né? Enfim. O mais curioso é quando você vê as duas imagens: ela diminuiu a cintura ainda mais na foto que postou em sua rede social, deixando-a totalmente desproporcional e irreal. Já é uma musa fitness, e mesmo assim se mostra insatisfeita com sua imagem e se modifica digitalmente.

Enxuga uma gordurinha aqui, dá uma branqueada nos dentes ali, melhora o bronzeado, a textura da pele, apaga as celulites, ajeita a sobrancelha, aumenta um pouquinho mais os peitos, dá uma forma melhor à bunda, apaga as estrias... É um vício. Você começa, não para mais e nem percebe as alterações. E, assim, as pessoas perdem a noção do que é real, o que afeta diretamente a nossa imagem corporal.

Gracyanne Barbosa também coleciona casos de Photoshop. Todas as vezes que a acusam de usar o programa para editar o formato do seu corpo, ela faz um vídeo mostrando o próprio corpo. Ok, ela tem mesmo um corpo esculpido, mas as imagens não mentem: em algumas fotos os objetos ficam tortos, os aparelhos da academia são deformados — e quase sempre na altura dos seios ou da cintura. E ela já é "perfeita"! "Galera não tenho nada contra Photoshop, faço inúmeros trabalhos onde são usados o PS, isso é normal. Ninguém tem aquela perfeição de capa de revista, muito menos eu. Mas jamais enganaria meus seguidores, pois uso minhas redes para incentivar e dividir minha rotina e energia boa", afirmou ela em seu Instagram.

Eu entendo que as musas fitness neguem. É o trabalho delas, e isso vai contra tudo o que elas vendem. Mas, né? Tem coisas que não adianta explicar, é só olhar e perceber que um aparelho de academia não tem aquele formato. Eu fico chocada quando vejo essas coisas acontecendo repetidamente com diversas blogueiras, porque na maioria das vezes são mulheres consideradas perfeitas. Não está fácil pra ninguém, não é mesmo?

Outro ponto a ser ressaltado a partir disso é o universo das cirurgias plásticas e estéticas. Faz parte do trabalho de toda musa fitness ter uma clínica de tratamento para divulgar onde ela faz drenagem linfática, criolipólise, manthus, radiofrequência, peeling, alongamento de cílios, bichectomia, botox, aumento dos lábios, injeção de colágeno... É um mercado sem fim. Isso elas divulgam. Plástica já é diferente, nem todas falam sobre isso. Mas a internet descobre, como sempre.

Em novembro de 2016, a musa fitness Luciane Hoepers, que hoje tem quase 1 milhão de seguidores no Instagram, deu uma entrevista para o site *EGO* afirmando ter gastado mais de 300 mil reais em cirurgias plásticas e que "não existe mulher feia, existe mulher pobre". Dentre as modificações, ela já operou o nariz duas vezes, trocou as próteses de silicone dos seios quatro vezes, fez lipoaspiração nas costas e braços, aumentou os lábios, moldou o maxilar e levantou as pálpebras. "Sou a favor de buscar sempre o bem-estar e autoestima, mesmo que seja com cirurgias plásticas e procedimentos estéticos", afirmou.

> Faz parte do trabalho de toda musa fitness ter uma clínica de tratamento para divulgar onde ela faz drenagem linfática, criolipólise, manthus, radiofrequência, peeling, alongamento de cílios, bichectomia, botox, aumento dos lábios, injeção de colágeno...

Parece que as coisas vão mudando, né? Em julho de 2018, a mesma musa fitness, que também já foi acusada de modificar suas imagens digitalmente, fez um post no Instagram condenando o uso de Photoshop e as cirurgias plásticas. "Até quando seremos reféns de uma ilusão imposta por estas redes sociais onde filtros, Photoshop e aplicativos tornam pessoas normais em perfeitas? Busque sempre melhorar sua autoestima, mas mantenha o respeito por seu corpo!" Logo abaixo, na mesma legenda, ela marca as @s (arrobas) de seus parceiros: "suplementos", "personal", "academia", "estética", "massagem" e "estética facial". Faz algum sentido? Se ela tem toda essa equipe hoje, condenando o Photoshop, como era antes, na época em que não respeitava seu corpo? Fico me perguntando até quando vamos aceitar opressões e acreditar que somos fadadas a elas.

Outro caso de musa fitness envolvendo cirurgias aconteceu em 2018, quando a youtuber Bianca Andrade, que tem um canal com milhões de seguidores chamado *Boca Rosa*, foi "exposta". A carioca, que começou a ser lida como musa fitness, já que compartilhava sua rotina alimentar com "comidinhas da terra" — como ela mesmo batizou —, exercícios físicos e tratamentos estéticos, viveu um verdadeiro climão. Enquanto dava uma entrevista para uma rádio ao vivo, com transmissão em vídeo do que rolava em uma live no Facebook, Bianca acabou revelando, no intervalo do programa, que fez uma lipoaspiração. Ela não sabia que o bate-papo informal estava no ar e a internet caiu em cima.

A verdade, gente, é que precisamos entender a responsabilidade social que essas mulheres carregam. Eu, como youtuber, sei que o que eu falar no meu canal ou no Instagram pode atingir positiva ou negativamente alguém. Portanto, me esforço para incluir todas as pessoas, para desconstruir pensamentos e ideias, entender que o mundo não gira ao redor do meu umbigo e que eu tenho um público que espera de mim certas atitudes e posicionamentos. Se eu ganhasse dinheiro passando a necessidade de ter um corpo "perfeito", talvez entrasse em um conflito enorme ao me submeter à uma cirurgia, por exemplo. O pensamento seria: "se eu indico uma dieta, mostro uns exercícios, falo que dá certo, que os produtos que eu anuncio funcionam... O que vão achar de mim se eu revelar que fiz uma plástica?" É antiético, vai contra o trabalho. Por isso, comunicar é a melhor maneira. Fez a plástica? Eu cobro, pelo menos, que se fale, pois assim se mostra para as pessoas que não foi por causa do cookie sem glúten, lactose, farinha branca e o caramba que a cintura diminuiu. Não falar é enganar as pessoas.

Mesmo que muitas assumam apenas plásticas em lugares humanamente impossíveis de serem modificados com dieta, malhação ou shakes, como silicone nos seios, aumento de lábios ou botox, a verdade é que, assumindo ou não, o mercado de blogueiras, celebridades e pessoas "perfeitas" chegou a um ponto que todo mundo quer fazer plástica.

> **Eu, como youtuber, sei que o que eu falar no meu canal ou no Instagram pode atingir positiva ou negativamente alguém.**

Se você acha que estou criando um alarde maluco, vamos falar em números. De acordo com a Sociedade Internacional de Cirurgia Plástica e Estética, os brasileiros estão em segundo lugar no ranking de cirurgias plásticas e estéticas no mundo. Os dados, relativos a 2015, mostram o Brasil em segundo lugar, com 1,22 milhão de procedimentos. Os Estados Unidos seguem na liderança, com 1,41 milhão, número próximo ao brasileiro, sendo que os EUA contam com o dobro de pessoas do Brasil, o que torna tudo ainda mais sério. Segundo o médico cirurgião Dênis Calazans, vice-presidente da Sociedade Brasileira de Cirurgia Plástica, esse número só não é maior, como foi em 2013, quando foram realizadas 1,49 milhão de cirurgias no nosso país, devido à crise financeira. Ainda assim, lipoaspiração, aumento de mamas e redução de pálpebras aparecem como os procedimentos mais populares.

O mais assustador nesses dados é quando vemos os números de adolescentes que começaram a surgir nesses rankings. Desse 1,22 milhão de cirurgias de 2015, 90 mil foram realizadas em adolescentes. Menores de idade. O que estão fazendo com o nosso futuro? O dr. Calazans está certo. Tem muita gente fazendo plástica o tempo todo, e só não tem mais números aí porque nem todo mundo pode pagar para entrar na faca.

É aí que a gente faz um recorte de classe. O mercado de cirurgias plásticas segue firme porque uma galera consegue comprar um corpo diferente. Se você ainda não entendeu que isso é um comércio, volto com a frase dita pela musa fitness Luciane Hoepers "não existe mulher bonita, existe mulher pobre". As famosas são exemplos reais do que estou falando. Quem vê a cantora Anitta hoje talvez não se lembre do passado dela. Anitta já foi Mc Larissa, da Furacão 2000. Procure por uma foto dela nessa época no Google. Em dois minutos você cria uma lista de plásticas e mudanças que a tiraram do lugar de "feia" para "bonita": nariz, seios, lipo, cabelo, boca. Ela é outra pessoa. Fazer esse contraponto é importante para percebermos como se dá a construção de uma celebridade.

E esse processo está todo documentado na internet. É possível ver cada ano da cantora e como as mudanças são claras. Quando fez a segunda plástica no nariz, em 2014, Anitta recebeu um prêmio no Faustão de música do ano, por "Show das Poderosas". "Era torto e feio! Agora eu fiquei com nariz de gente metida", afirmou a cantora no programa, usando um curativo no nariz, no tom de sua pele, mostrando que a cirurgia era recente. Os memes no Twitter "brincaram" com o fato de que agora ela tinha muito dinheiro e podia ficar bonita. O que é um nariz de gente metida? A beleza, meu bem, é um status. E ele pode ser adquirido.

"Anitta é a Kardashian brasileira." Já li isso diversas vezes. A carioca é, de fato, uma mulher assumidamente plastificada e moldada no novo padrão corporal que chegou com as Kardashian. O reality show das irmãs americanas Kim, Khloe e Kourtney (depois vieram Kendall e Kylie Jenner)

> **Quem vê a cantora Anitta hoje talvez não se lembre do passado dela. Anitta já foi Mc Larissa, da Furacão 2000.**

mudou a percepção de padrão de beleza no mundo e trouxe um novo ideal a ser seguido: uma mulher mais "natural", com curvas bem marcadas, peitos e bundas grandes, lábios carnudos, nariz afilado, sobrancelhas demarcadas, caucasiana, com os fios lisos e escuros. As Kardashian "engordaram" o padrão de beleza, mas colocaram outros pontos em evidência: o de um corpo impossível de ser alcançado sem cirurgias e procedimentos estéticos.

Até hoje Kim Kardashian, que também já teve diversos casos de manipulação de imagens apontados, nega ter colocado implante de silicone ou qualquer outro procedimento possível para aumentar suas nádegas. Fotos de antes e depois não negam: ela não tinha curvas. Tirando essa parte do corpo, da qual ela se orgulha — até raio-x já fez para provar que não tem nada, sendo que raio-x não mostra implantes —, de resto ela já operou tudo. Não sabemos ao certo tudo o que ela fez, mas temos um bom exemplo de alguns procedimentos e de quanto custaria tudo isso.

Jennifer Pamplona, "personalidade da TV", como se define, é uma jovem brasileira de 25 anos que afirmou ter gastado mais de 1,5 milhão de reais em procedimentos estéticos e cirúrgicos para ficar igual a Kim Kardashian. Sua primeira cirurgia foi aos 17 anos, e, desde então, ela já retirou costelas, fez lipoaspiração em várias partes do corpo, colocou implantes nos seios e nas nádegas, operou o nariz, aumentou os lábios, moldou o formato do rosto... "Eu me apaixonei pela cirurgia há muito tempo, mas, depois de ver Kim Kardashian, eu queria parecer e ter curvas como as dela. Às vezes, penso que todo o dinheiro que gastei poderia estar na minha conta bancária, mas, ao mesmo tempo, eu estou muito feliz. Eu gastei muito dinheiro, mas me sinto muito confiante comigo e de que tenho o poder de fazer mais dinheiro devido à minha aparência. Me disseram que eu tenho lábios como os de Kylie Jenner e que estou chegando perto de ter um bumbum como o da Kim Kardashian", disse, em entrevista ao jornal britânico *Daily Mail*, em março de 2018.

Se nem gastando 1,5 milhão de reais dá para conseguir uma bunda igual à da Kim Kardashian, é sério mesmo que ainda acreditam que as modificações corporais acontecem com muita dieta, comidinhas da terra, exercícios e produtinhos? Socorro, gente. Vamos acordar.

Falar das Kardashian é um assunto gigantesco, pois todas as irmãs levantam questionamentos sobre corpo, padrões e escorregam diversas vezes. Eu falei, no caso da Boca Rosa, que é responsabilidade de uma pessoa que trabalha com o corpo dizer a verdade sobre o que fez ou não, mas, quando se trata de alguém que tem mais de 100 milhões de seguidores no Instagram e é conhecido no mundo inteiro, o impacto é outro. Elas estão há 14 anos no ar com um reality show, o *Keeping Up With the Kardashians*, sem contar os realities derivados desse, o que jogou os olhares do mundo todo para os seus corpos.

Kylie Jenner é um grande exemplo de que se encaixar é quase um ultimato em sua família. Em 2014, com apenas 17 anos, a adolescente postou uma foto em sua rede social em que aparecia com os lábios muito maiores do que o normal. Como sua infância foi praticamente toda documentada, as pessoas compararam e na hora perceberam a diferença. Na época, ela negou ter feito qualquer procedimento e usou o reality show para dar uma declaração a respeito. "Eu sinto como se todos estivessem falando sobre isso há meses, então estou meio de saco cheio. Eu mexo muito nas minhas fotos. Acho que lábios grandes são maravilhosos", disse a menina, que afirmou apenas usar maquiagem e modificar digitalmente sua imagem, mostrando-se insultada por esses "boatos".

A pressão para que ela assumisse o aumento labial foi enorme, já que todos queriam ter aquela boca e não sabiam como. Como ela dizia que conseguia ficar com os lábios daquele jeito com maquiagem, surgiram produtos que prometiam aumentar os lábios para ficar parecido com os de Kylie. Um deles, em especial, é quase uma máquina de tortura: o aparelho suga seus lábios, machuca a sua boca, e, quando o remove, a pessoa fica com a região da boca toda inchada. Como muita gente não tinha dinheiro nem acesso a essa novidade, surgiu o #KylieJennerLip-Challenge (desafio da boca da Kylie Jenner) no Instagram, em que as adolescentes tiveram a brilhante ideia de colocar a boca em recipientes pequenos, sugá-los e ver no que dava. De acordo com um levantamento do Google, mais de 100 mil posts foram publicados sobre o assunto no primeiro semestre de 2015.

O resultado na internet foi desastroso. As meninas postavam fotos e vídeos aceitando o desafio, falando que a dor era imensa e que não dava certo. É verdade, porque eu também tentei na época. Caí nessa armadilha, porque uma nova insatisfação foi criada em mim e eu desejei ter os lábios de Kylie Jenner. Médicos se mostraram contra a prática e aconselharam a procurar especialistas para realizar o procedimento de forma segura. É claro que estavam vendendo seu peixe.

Logo depois desses desafios rodarem o mundo nas redes sociais, Kylie assumiu o procedimento estético: "Eu tenho preenchimento labial temporário. É uma insegurança minha, e era o que eu queria fazer. Queria admitir sobre os lábios, mas as pessoas são tão rápidas para me julgar em tudo que então talvez eu tenha rodado em torno da verdade, mas não menti." Mentindo ou não, esse não é o foco. Pense em quanto tempo experimentando métodos para aumentar os lábios com maquiagem ou copinhos sugadores as pessoas perderam para descobrirem que era tudo procedimento estético.

Mas a memória da galera é curta. Hoje, Kylie Jenner apresenta mudanças não apenas nos lábios, mas nos seios, nádegas, cintura e nariz. Foi toda modificada. Ela, sim, é quase uma sósia da irmã, Kim Kardashian. As duas são comumente comparadas e brincam com isso. O cirurgião plástico de Kylie, dr. Simon Ourian, se orgulha da aparência da paciente e credita a ela o sucesso de seu consultório: "Quando ela começou a falar sobre os procedimentos estéticos pelos quais passou, percebi uma nova febre entre jovens mulheres que, de repente, se sentiram mais empoderadas para querer se sentir mais bonitas." O detalhe é que ele destaca que com cirurgias plásticas as mulheres se empoderam. Ok.

"É como se Kylie tivesse aberto as portas para uma geração inteira. Eu já tratei centenas de celebridades, mas nenhuma delas foi ousada o bastante para revelar seus segredos com tanta transparência. A influência de Kylie fez com que a cirurgia plástica deixasse de ser um tabu", concluiu. Pois é. Talvez seja ela a responsável pelo aumento de cirurgias plásticas e estéticas em adolescentes. Kylie Jenner, a mesma mulher que saiu na capa da revista *Forbes,* em 2018, aos 21 anos, como a empreendedora bilionária mais jovem do mundo graças à sua própria linha de maquiagem, a Kylie Cosmetics.

> A verdade é que corpo perfeito não existe, é comprado. E às vezes nem comprando se encontra satisfação completa, então é necessário comprar mais e mais e, mesmo assim, modificar digitalmente essa imagem para aparentar ser algo que ninguém é, nem a pessoa da foto.

Basta uma passada na conta do Instagram de qualquer mulher Kardashian-Jenner para perceber como os corpos delas, do cabelo ao tamanho da cintura, influenciaram na forma como enxergamos o que é belo hoje. A verdade é que corpo perfeito não existe, é comprado. E às vezes nem comprando se encontra satisfação completa, então é necessário comprar mais e mais e, mesmo assim, modificar digitalmente essa imagem para aparentar ser algo que ninguém é, nem a pessoa da foto. Que injusto e louco tudo isso...

Quem vai na contramão desse pensamento apenas reforça o que eu penso: a nossa sociedade não quer realidade. Nós não gostamos do que é real, porque estamos cansadas de lidar com a nossa própria realidade, nossos problemas...

Um exemplo claro disso é Sophie Gray. A personal trainer canadense contava com 430 mil seguidores no seu Instagram em 2015, compartilhando sua rotina de exercícios com vídeos de treinos pesados, uma alimentação "perfeita" e fotos "de dar inveja" em paisagens paradisíacas, de biquíni, exibindo seu corpo padrão. Um belo dia, ela decidiu adotar uma postura mais realista em seu perfil: postar frases de autoaceitação, desmitificar alguns conselhos e mostrar o que está por trás dessa busca incansável por um corpo ideal. Em poucos meses, ela perdeu 70 mil seguidores, caindo para 360 mil. "Isso não é uma coincidência, mas sim o resultado de eu ter mudado a minha mensagem. Muitas pessoas acreditam que se fizerem um determinado treino vão perder peso e serem felizes, mas algo externo nunca vai consertar uma questão interna. A felicidade é algo que você tem que encontrar dentro de si mesma", afirmou a jovem de 22 anos à revista *Marie Claire* americana.

E adivinha o que aconteceu? Três anos depois, ela continua postando mensagens positivas em sua conta no Instagram, e em 2018 contava 363 mil seguidores, uma média de mil por ano. Ela parou de crescer. E pasme: Sophie é uma mulher alta, magra, loira, com cabelo ondulado e olhos verdes. Ela é o que chamamos de beleza padrão.

Dá para entender? Parece que queremos a divindade, o diferente, o inatingível. Tudo o que alimenta o nosso ódio-próprio. E ele só cresce.

7) O bodyshaming: a humilhação do corpo alheio

Bodyshaming é uma expressão em inglês que está no dicionário Oxford como a ação ou prática de humilhar alguém expressando zombaria ou críticas sobre a forma ou o tamanho do corpo de uma pessoa. Bodyshaming é abrir uma revista no salão de beleza com uma celebridade na capa e todo mundo começar a falar que ela engordou depois da gravidez, que a pele dela era melhor antes. É você postar uma foto na internet e te xingarem pela sua aparência. É você sair na capa de uma entrevista de sutiã sorrindo e um humorista fazer "piada" com o tamanho do seu corpo. É ir no casamento de uma amiga e comentar que ela parece uma capa de botijão de gás com seu vestido de noiva. É comentar com a amiga quão ridícula, feia e nojenta é a atual do seu ex. Bodyshaming é toda e qualquer polícia em cima do corpo de outras pessoas visando ridicularizá-lo e, pior, achando que isso é normal.

> **O bodyshaming é uma prática presente dentro de quase todos os tipos de preconceitos, além de vir disfarçado de opinião e, muitas vezes, "apenas uma fofoquinha para distrair".**

E de fato parece normal, pois está internalizado dentro de nós. Eu me lembro que, no início do meu processo de aceitação, me pegava em situações em que claramente iria praticar bodyshaming e me segurava. Uma delas tem a ver com a Anitta. A segunda cirurgia no seu nariz foi assunto na internet em um domingo, já que ela apareceu no Faustão com a novidade. No dia seguinte, no trabalho, só se falava disso. Os comentários eram terríveis, e eu me segurei para não dar a minha "opinião". Até que me perguntaram o que eu tinha achado e eu disse: "Se ela está feliz, é isso aí." Foi o máximo que consegui, depois começaram a insistir e eu disse que não deveríamos estar falando sobre isso. É muito difícil, meu amor, muito difícil. O bodyshaming é uma prática presente dentro de quase todos os tipos de preconceitos, além de vir disfarçado de opinião e, muitas vezes, "apenas uma fofoquinha para distrair".

Quem nunca foi fuxicar a vida do ex e se comparar com a atual namorada dele? Se você se acha mais bonita do que a atual, se sente bem. Se você é mais feia do que ela, se sente horrível, fracassada. Não é à toa que até hoje, quando a mulher termina um relacionamento, é aconselhada a emagrecer, a ficar bonita para se vingar.

Khloe Kardashian lançou o reality show *Revenge Body*, em 2017, com a proposta de ajudar a participante a emagrecer e jogar na cara de algum desafeto, seja um ex-namorado ou uma amiga que a tratasse mal por causa do peso. Um recurso extremamente perigoso, que faz a pessoa sentir raiva e necessidade de mostrar que conseguiu, que chegou lá, que a sua maior realização é conquistar um corpo perfeito. Mais uma vez o corpo é um objeto de desejo, o nível máximo que o ser humano pode alcançar de sucesso e superação na vida...

Voltando ao bodyshaming, saiba que ele pode custar caro. Em 2016, a modelo americana Dani Mathers postou uma foto em seu Snapchat rindo e, na sequência, mostrou a imagem de uma mulher no banheiro da academia, nua, com a seguinte frase escrita: "Se eu não posso desver isso, você também não vai conseguir." A mulher da foto não teve sua identidade revelada, mas tinha 70 anos e processou a coelhinha da *Playboy*. No estado americano da Califórnia, postar fotos de uma pessoa nua sem permissão é ilegal. Apesar de ter deletado a foto da rede social e pedir desculpas publicamente, afirmando ter se confundido e enviado uma mensagem privada para todos os seus seguidores, Dani foi condenada.

A modelo teve que escolher entre passar 45 dias na prisão e fazer trabalho comunitário por 30 dias. Esta foi a sua opção, atuando na remoção de grafites nas ruas de Los Angeles. Além disso, ela ficará em liberdade condicional por três anos, não tem permissão de usar o celular em locais com pessoas sem roupa e permanecer a uma distância de 100 metros da vítima, além de pagar uma multa equivalente a 197 reais. "Compreendo totalmente o alcance desse post, que eu feri muita gente, mulheres. Bodyshaming não é legal... Não é motivo de piada", ela disse em seu Snapchat.

Essa história me faz lembrar daquele conselho da Gabriela Pugliesi sobre mandar nudes para sua amiga e pedir que ela vaze a imagem caso você fure a dieta. Como se por meio da vergonha causada pela ridicularização a pessoa pudesse ganhar fôlego para continuar na saga de perder peso. Pois é, só piora.

O bodyshaming anda de mãos dadas com a forma como o sistema patriarcal nos coloca: rivais. Rivalizar as mulheres é uma maneira de manter a opressão, o que inibe a aceitação. Segundo Marcia Tiburi, no prefácio do livro *Vamos juntas? O guia da sororidade para todas*, "a união feminina é um mal que se precisa evitar para que a ordem continue estabelecida e não seja questionada. Sendo assim, as mulheres naturalmente não podem estabelecer laços de irmandade e ajuda mútua por serem eternas rivais." A autora afirma que não é raro as pessoas dizerem que irmandade mesmo só existe entre os homens, que as mulheres não são amigas de verdade umas das outras. Uma grande mentira.

E essa mentira é reforçada em todos os lugares. Nos filmes, nas novelas, sempre tem uma mulher querendo derrubar a "inimiga" para conquistar um cara, se casar na igreja dos sonhos, conseguir um emprego, ser popular... Sororidade é justamente entender que juntas somos mais fortes, juntas conseguimos mudar as coisas e alcançar objetivos em comum. E se tem um objetivo que todas as mulheres deveriam ter em comum é o de acabar com o patriarcado. Derrubar e extinguir esse sistema que nos oprime e nos faz acreditar que somos menos, inferiores, e que a culpa disso tudo é nossa.

Pratique a sororidade divulgando, enaltecendo, contratando, apoiando e estando perto de mulheres. Vale ressaltar que obviamente existe mulher mau caráter, sim. Nem todas são pessoas boas, não é para amar todo mundo, mas pare de chamar a atual do seu ex de vagabunda, sabe? E, claro, policie-se toda vez que for comentar sobre o corpo de alguém. Para que falar? Por que apontar? Uma coisa é comentar sobre roupas, acessórios, estilo; outra é discutir o formato do corpo, a aparência, o tipo físico... Saia desse ciclo de ódio. Comentar sobre o corpo das pessoas te faz bem, te agrega algum valor, é bom pra você? Pense sobre isso.

8) A cultura do antes e depois

A grande maioria das musas fitness posta foto de antes e depois, uma cultura que existe há muitos anos e que foi reforçada como positivo por essas mulheres. Essas comparações colocam o foco apenas na aparência e não na saúde. Se você vê uma foto em que a mulher perdeu 20 kg em 12 semanas, sem barriga, pensa em como ela está saudável? "Caramba, ela está mais magra. Ela emagreceu. Ela mostra que dá certo. Eu quero ser como ela. Não importa o que eu fizer, quero ter esse corpo." O foco está na aparência.

Outro problema do "antes e depois " é que a pessoa que se vê na foto do antes se sente indesejável, um fracasso, como se não devesse ser daquele jeito, precisando ser igual à do depois. E tem muita gente que se acha bonita, que é saudável, se alimenta bem, não é sedentária e tem uma vida ativa com um corpo igual ao da foto de antes. Só que, como o foco está na aparência, mesmo levando uma vida saudável, a pessoa acha que o corpo dela é horrível... Por que essas pessoas têm que mudar?

"Enquanto algumas pessoas podem ter perdido peso como um efeito colateral de comportamentos verdadeiramente favoráveis à saúde, outras provavelmente sofrerão por comer desordenadamente ou por praticar exercícios em excesso, e nós estamos glorificando isso nessas imagens", disse à revista *Insider* a nutricionista Rachael Hartley, especializada em distúrbios alimentares.

Segundo Rachael, deve-se levar em conta também que as fotos do depois correspondem a apenas um segundo, um clique na vida daquela pessoa. E, muitas vezes, conta-se com ajuda da postura, do tipo de roupa, cintas, da iluminação, de filtros de fotografia... Isso sem falar que a foto pode ter sido manipulada digitalmente para aumentar ou reduzir determinadas áreas.

No vídeo "Reagindo a fotos antigas de quando eu era magra", eu mostro fotos de diversas fases da minha vida. Para divulgá-lo, criei um antes e depois reverso: o antes magra e o depois gorda. Muitas ativistas fazem isso para ressignificar o hábito de comparar corpos. Apesar de ter sofrido um tanto de ódio na internet, achei a situação toda superimportante pois, simbolicamente, eu realmente estou no meu "depois" há três anos, e muito feliz! E é um corpo maior do que o de antes.

> Outro problema do "antes e depois" é que a pessoa que se vê na foto do antes se sente indesejável, um fracasso, como se não devesse ser daquele jeito, precisando ser igual à do depois.

Fico presa em uma espécie de universo paralelo imaginando a quantidade de coisas que eu poderia ter feito se não tivesse dedicado tanto tempo a me encaixar em algum padrão. Perdi anos da minha vida me privando de tudo para alcançar algo que hoje eu vejo que é inexistente. Eu amava sentir dor e os efeitos do que estava rolando no meu corpo porque comprovavam que eu estava no caminho certo, que eu tinha que passar por isso, e tudo para "chegar lá". Eu era errada porque eu era gorda. Gostava de desmaiar, de me sentir delicada, leve, frágil do jeito que eu fui ensinada que uma mulher tem que ser... Triste, né?

Autoestima corporal destruída

Eu não sou psicóloga, mas sou especialista quando se fala em autoestima baixa. Vivi durante 26 anos uma vida em que eu mesma me colocava como inferior, pior, menos, era tímida ao falar em público, tinha vergonha de ser o foco das atenções, tudo isso por causa da minha aparência. Apesar de ter uma autoestima intelectual alta (ou seja, eu sempre fui confiante quanto às minhas ideias e capacidades), meu corpo se tornou uma barreira para que eu fizesse qualquer coisa. A aparência era um fator que determinava se eu me sentiria bem ou não. Não importa que eu dominasse o assunto, que eu fosse a melhor profissional, que eu me destacasse em alguma coisa. Sem um padrão estético aceitável, a minha mensagem nunca seria passada, porque eu não ousaria fazer isso.

Por isso, se você acha que o seu corpo é um problema para lidar com qualquer situação que seja, por exemplo: transar, beijar, marcar um encontro, ir a uma festa, casar, ter filhos, ir à praia, conseguir um trabalho, passar maquiagem, o que for; se você é impedida pela sua aparência de fazer qualquer coisa simples, muito provavelmente a sua autoestima é baixa. Isso porque nós nem entramos nas consequências que se sentir assim trazem para as suas relações pessoais, profissionais e para sua saúde mental como um todo.

Fatores em que você acredita quando leva uma vida cega sobre padrões (e interferem na sua autoestima):

1) Você acha que precisa "chegar lá"

É comum que você tenha dentro do seu imaginário a ideia de que precisa chegar a algum lugar. "Chegar lá" é uma expressão comum e coloca uma meta ilusória que te aprisiona. Afinal de contas, você nunca vai chegar a lugar nenhum. Me diz uma pessoa que "chegou lá" e se manteve lá. Onde é o fim da linha? Onde que acaba essa corrida? Não é à toa que surgiram novas doenças, como a vigorexia (doença relacionada à distorção da imagem, que leva a pessoa a buscar a definição muscular de forma cada vez mais intensa) e a ortorexia (obsessão pela dieta perfeita, por comer apenas coisas saudáveis e gastar horas do dia pensando apenas nisso).

> Vivi durante 26 anos uma vida em que eu mesma me colocava como inferior, pior, menos, era tímida ao falar em público, tinha vergonha de ser o foco das atenções, tudo isso por causa da minha aparência.

2) Você faz planos para começar a sua vida só depois de "chegar lá"; ou: "quando eu emagrecer, tudo vai ser diferente"

Quando entrei nessa vida louca de dietas, exercícios, remédios e distúrbios alimentares, a primeira coisa em que eu pensei foi: preciso de metas. Eu me incentivava com um caderninho de objetivos. Estes dias encontrei um caderno antigo em que escrevi que, depois de emagrecer, de chegar lá, eu poderia, finalmente: ter um namorado, usar branco no ano-novo, colocar piercing no umbigo (era moda na época), ir à praia com os amigos e usar calça de cintura baixa. Eu acreditava que a minha vida só ia começar depois de o meu corpo ser diferente.

3) Você acha que a culpa de tudo é sua

Sofreu assédio? A culpa é sua, porque foi sexy demais para o trabalho. Comeu uma refeição inteira? Por isso que é gorda. Entrou em um relacionamento abusivo? Dedo podre. Transou no primeiro encontro? É puta. O cara te bate? Também, quem mandou deixar ele estressado?

> Me diz uma pessoa que "chegou lá" e se manteve lá. Onde é o fim da linha? Onde que acaba essa corrida? Não é à toa que surgiram novas doenças, como a vigorexia e a ortorexia

4) Você não se sente boa o suficiente

Você acha que é inferior aos outros, que tudo o que faz dá errado, poderia estar melhor, que você entrega sempre menos que as outras pessoas? Não se sente boa o suficiente para ter um namorado, um marido, para conseguir aquele emprego, entrar na faculdade?

5) Você usa como filtro a opinião dos outros a seu respeito

Você sabe dizer quem você é a partir do seu olhar ou quem te define são os outros? A opinião das pessoas sobre você importa muito? Você deixa de vestir algo de que gosta por causa dos outros? Já perdeu as contas de quantas vezes você preferiu ficar em casa ao ter que lidar com o comentário de familiares sobre o seu corpo?

Existem mais fatores, mas alguns desses — senão todos — certamente já passaram pela sua história. Infelizmente é a realidade. E a verdade é que não tem nada de errado com você. A busca pelo corpo perfeito destrói a nossa autoestima, o amor-próprio nem dá as caras e é preciso todo um trabalho interno, que apenas você pode fazer, para voltar a ter uma relação boa consigo mesma, livre de padrões. E, obviamente, procure ajuda psicológica se puder para tratar o seu caso individualmente.

Ódio-próprio: você se machuca, sente a dor, sofre as consequências e não sabe parar

Um conceito universal famoso é o de que a gente precisa sofrer para "dar certo". *No pain, no gain* (sem dor, sem ganho), certo? Aprendemos na saga de Rocky Balboa. Existe um remédio para feridas que usei muito na infância, o merthiolate. Eu tinha um medo danado dele, porque ardia demais. Mas o que eu ouvia dos meus pais? "Arde porque está funcionando, matando os germes." O remédio ardia, então funcionava. Jesus morreu na cruz para salvar todo mundo, crucificado. Precisa-se pagar um pedágio para ir adiante. É preciso se privar do prazer para alcançar a glória. A gente é ensinado a sofrer e aprende a gostar disso porque é a única coisa que dá esperança, a que você se agarra. E é tão forte e determinado quanto o amor, porque é amor. Mas um amor torpe, tóxico, abusivo e perigoso.

> Estes dias encontrei um caderno antigo em que escrevi que, depois de emagrecer, de chegar lá, eu poderia, finalmente: ter um namorado, usar branco no ano-novo, colocar piercing no umbigo (era moda na época), ir à praia com os amigos e usar calça de cintura baixa.

Eu era uma verdadeira soldada em tempos de dieta. Seguia à risca as calorias que podia comer diariamente. Adotei todos os métodos que existiam para emagrecer. Sempre fui a louca dos números, fazia tabelas de projeções de perda de peso por dia, semana, mês, e meu tesão era alcançar a meta antes do tempo previsto. Fora as privações alimentares: quanto menos eu comia, até desmaiar e me sentir mal, mais ficava feliz por conseguir chegar perto do meu objetivo. Tomava remédios como se fossem balinhas, me exercitava como se não houvesse amanhã, desmaiava de novo... Deixava de sair com amigos, de tentar experimentar uma vida amorosa, de usar roupas do jeito que gostaria, de ser adolescente, de comer na frente dos outros...

Cheguei ao ponto de fazer uma cirurgia estética, uma lipoescultura, em que 9 litros de gordura do corpo foram removidos e 2 litros injetados para dar "mais forma". Eu tentei muito me encaixar. E, a cada tentativa, me matava um pouquinho, me destruía, me machucava. Se está ardendo é porque está funcionando, né? Eu precisava matar os germes. Nesse caso, eu me tornei o próprio germe que tentei matar.

Você acaba vivendo um relacionamento abusivo consigo mesma. Um relacionamento abusivo nada mais é do que dar ao outro todo o controle sobre a sua própria vida e não conseguir se desvencilhar desse vínculo. Dar a permissão para o outro ditar o que você deve ou não fazer, quando, onde, como se portar. Se você permite que alguém te violente, te machuque, se imponha a você, você mantém um ódio dentro de si, você internaliza o ódio, porque sabe que aquilo está te fazendo mal, mas algo te impede de acabar com isso. Tanto sabemos que está errado que escondemos até da melhor amiga, da família, das pessoas que amamos... Mas parece que perdemos as forças para sair disso.

A real é que eu não estou falando nenhuma novidade. Porque no fundo nós sabemos o que estamos fazendo de errado contra nós mesmas. É, de fato, a mesma lógica do relacionamento abusivo: temos noção de que tem algo estranho, que não está legal, mas não conseguimos sair disso. O desejo de alcançar um objetivo x é muito maior do que a dor de uma automutilação; a vontade de ser magra é maior que o incômodo dos desmaios... Você se agarra a uma meta tão cegamente que se destrói sem perceber. É confortável, é normal. Existe outra forma de viver?

E é bem doido, porque chega uma hora que o ódio é tão forte que te faz acreditar que um dia você vai conseguir se amar. E que se amar é se punir. Afinal, o ódio é a única coisa palpável para conseguir chegar lá, para quem sabe um dia essa história ter um final feliz. "Chegar lá", inclusive, era uma expressão que eu usava com frequência e que me dava forças para continuar me odiando.

Eu moro com dois amigos que também são ativistas, gordos e youtubers, Bernardo Boëchat e Caio Cal. Nós conversamos todos os dias sobre esses assuntos, e o Caio, durante o processo do livro, compartilhou uma vivência. Um homem, viu? Que também passa por pressão estética e, no caso dele, gordofobia também (mais adiante entramos nesse assunto). Ele me disse que sempre sonhou ter entradinhas na barriga. Sabe quando a Britney e a Jennifer Lopez usavam aquelas calças de cinturas baixíssima e aparecia uma entrada na barriga, como se houvesse um vão entre os ossinhos do quadril e o abdômen? É bem isso. Ele desejava aquilo de todas as maneiras, algo dificílimo de ter, pois, se você não tem biotipo para isso, só virando um esqueleto para poder alcançar. E foi exatamente o que ele fez: iniciou sua jornada no mundo da anorexia, dos remédios, dos exercícios além do limite. Se ele "chegou lá"? Nunca. Mas longos anos da sua vida foram apagados, porque ele vivia única e exclusivamente para ter essas entradinhas com a esperança de começar a viver sua vida depois disso. Nunca aconteceu. As entradinhas. A vida dele, agora, está plena e livre.

O nosso ódio-próprio é resultado da forma como fomos criadas e ensinadas, como vivemos nos nossos ciclos sociais, como nos portamos, como buscamos nos vestir. Nós fomos podadas socialmente, sabemos apenas o que não podemos fazer. Desde pequenas fomos formatadas para caber dentro de uma expectativa de padrão da cidadã comum. E esses ensinamentos acabam criando medos, inseguranças e julgamentos pessoais: "Será que eu sou boa o suficiente para viver desse jeito?" E é uma pergunta que a gente faz para fora, ou seja, quem tem que me validar é o outro. Fazemos essa pergunta esperando que o mundo responda para nós quem nós pensamos ser. Mas quem tem que saber quem você é é você mesma. E o que é revolucionário é a gente entender que não precisa atender às expectativas que os outros têm sobre a gente. São expectativas dos outros, não nossas. Não temos responsabilidades sobre elas.

> **A real é que eu não estou falando nenhuma novidade. Porque no fundo nós sabemos o que estamos fazendo de errado contra nós mesmas.**

Eu ainda me recordo da minha longa lista de insatisfações. Foram 26 anos pensando nelas todos os dias. Impossível de esquecer, né? O silicone foi uma delas, depois foi a bunda (que era pequena, e eu queria que fosse maior), o nariz (torto), os olhos (queria lente azul), os ossos da saboneteira (que nunca apareceram), a barriga (disforme e gorda demais), as costas (muito largas e com dobras), os braços (maiores que os de um cara), o espaço entre as coxas (flácido), o pescoço (curto e atarracado), o tamanho do monte de vênus (até essa parte eu removi na lipo, mas engordei de novo), o formato dos meus dedos dos pés (não eram femininos o suficiente), as espinhas (nojentas), o tipo de cabelo (desleixado), tudo. Sempre uma nova insatisfação, uma forma diferente de me odiar, me detestar e me punir. Se eu conseguia "resolver" alguma coisa, logo tinha outra e mais outra, e assim seguia o baile eternamente.

Eu não posso contar o número de mensagens que recebi de pessoas que se odeiam, e o que pude perceber como tema central em todas essas mensagens é que a nossa percepção, o nosso imaginário de como os outros nos enxergam, é o que tem de mais determinante na construção do ódio-próprio.

Quando você se odeia, você se apega ao conceito de "defeito". Falar que uma coisa é defeituosa é dizer que ela não está em perfeitas condições, está maculada, danificada, deformada. Pense agora em alguns defeitos seus, o que te incomoda em si mesma. Pode anotar, escrever, ou só guardar na memória. Depois vamos usar isso.

Listei uma dezena de coisas que eu considerava defeitos em mim e queria mudar para ficar... Adivinhem. Exato. Perfeita. Espero que a esta altura do livro você já tenha entendido uma coisa: perfeição não existe. Perfeição não existe. Perfeição não existe. Estou repetindo de propósito. Tente fazer o mesmo. E dizer que perfeição não existe não é o mesmo que dizer "ninguém é perfeito". Ninguém é perfeito porque perfeição não existe. As pessoas acreditam que perfeição existe porque o corpo se tornou um produto, algo que pode ser comprado e modificado, como um carro. Mas tire esses padrões do seu olhar. Você não é uma lata velha que precisa de reparos; você é um ser humano. Perfeição está no inconsciente coletivo. E você já entendeu que foi tudo criado. Portanto, você não tem defeito algum.

Sempre que eu converso com alguém sobre insatisfações corporais, percebo que a pessoa consegue, em apenas 30 segundos, dizer tudo que a incomoda a respeito dela mesma. E o mais engraçado é que, olhando de fora, percebo claramente que a maioria dos itens apontados, senão todos, eu nunca prestaria atenção. Eu entendo totalmente. São insatisfações muito específicas, que viram um monstro para quem as sente na pele. É assim que querem que nos sintamos mesmo. É isso que faz o mercado girar e a gente afundar no ódio-próprio.

O ódio-próprio, na verdade, é o amor-próprio intoxicado, deturpado, doente. Mas é amor. Ele não é ruim, porque apesar de fazer você tomar atitudes negativas, sempre tem uma boa intenção por trás. Ele não quer te machucar, mas te ajudar. Muitas vezes nossas atitudes de ódio-próprio estão apenas preocupadas em nos proteger de algo, mas os caminhos usados são prejudiciais. Muitas vezes ele nem sabe que está te fazendo mal. O ódio-próprio nasce de algo que te foi ensinado por alguém, que você conviveu. Ele só existe porque você vive em sociedade. E ele te atinge dessa maneira porque a nossa sociedade é patriarcal, machista e capitalista.

Uma pessoa que se odeia é, literalmente, a sua pior inimiga. Isso é autossabotagem, é dar tiro no próprio pé. O maior e mais duradouro relacionamento abusivo que eu tive foi comigo mesma. Sabe por quê? Porque não tem como ganhar qualquer batalha quando a luta é contra si mesma. É uma guerra sem vencedor. Você mesma se machuca, produz a dor, sente a dor e sofre as consequências. O ódio é como se fosse uma doença autoimune, mas com uma diferença: tem cura.

Às vezes ficamos muito paradas no imaginário sobre quem queríamos ser, quem somos, quem já fomos. E esquecemos de nós agora. Não vivemos o agora, apenas arrependimentos passados, frustrações de uma vida que NÃO vivemos; angústias com o futuro e incertezas sobre como nossa imagem está sendo lida socialmente. E o agora, meu bem?

Volto a bater nessa tecla: para quem você vive? Para quem você se veste? Para quem você faz as unhas? Para quem você pinta o cabelo? Para quem você faz cirurgia plástica? Para quem você muda? É para você? É uma vontade que vem, genuinamente, da sua essência? Já consegue responder se o que você faz ou muda na sua aparência, no seu comportamento e no seu imaginário de vida é para algo, alguém ou uma situação específica?

Eu, por exemplo, fiz lipo e lidei com um sentimento de culpa enorme depois, por ter engordado de novo, me culpando e me automutilando por isso, até que cheguei à tentativa de suicídio três meses depois da cirurgia. Será que eu deveria, realmente, ter mudado? De onde partiu essa necessidade de tirar 9 litros de gordura do corpo e colocar silicone? Na cirurgia, o meu corpo foi todo moldado para ter formato de violão, ganhou uma cintura, todas as partes com gordurinhas ficaram lisas, a gordura foi injetada na bunda, o peito ganhou silicone...

Eu dormi de um jeito e acordei de outro, chegando ao meu ponto máximo de "gostosura". Pela primeira vez na vida, tive um momento de "satisfação" comigo mesma. Eu me amei por alguns segundos. Mas tudo em que eu pensava não é que eu estava linda: eu só pensava que agora poderia usar roupas da moda, agora os homens iam me desejar, eu não ia mais ter problema para ir à praia, não quebraria mais cadeiras, eu poderia viver. Finalmente o momento mais aguardado da minha vida toda tinha chegado. E eu tentei me matar três meses depois.

> **Eu, por exemplo, fiz lipo e lidei com um sentimento de culpa enorme depois, por ter engordado de novo, me culpando e me automutilando por isso, até que cheguei à tentativa de suicídio três meses depois da cirurgia.**

A história da minha tentativa de suicídio nunca será contada como realmente aconteceu, porque eu não quero entrar em minúcias do que fiz, como fiz... Não por vergonha nem nada, falo abertamente sobre isso ao vivo, mas para não dar ideias erradas, sabe? De toda forma, escrever este livro me fez mergulhar na minha história e entender por que apenas pouco tempo depois de conquistar o corpo "perfeito" eu decidi acabar com a minha vida.

É preciso muita força, mesmo que inconsciente, para tomar essa atitude. No meu caso, eu já estava anestesiada, sem sentir nada, como a menina no final do filme *Divertida Mente*, da Disney: sem emoções, vazia, indiferente. Não tem explicação para eu ter tentado me matar, para eu ter, de fato, me matado, como eu digo. Já que a minha atitude poderia ter chegado a seu objetivo (a minha morte) e só não aconteceu porque me socorreram...

Não se explica com clareza como uma mulher que passou a vida inteira tentando se encaixar, passando por anorexia, bulimia, depressão, vivendo presa em dietas e exercícios, deixando de lado tudo e qualquer coisa em prol de um sacrifício maior, na hora em que está com o corpo do jeito que sempre quis, decide morrer...

Talvez eu não conseguisse lidar com o fato de não ter mais nenhuma insatisfação em relação ao meu corpo (eu até tinha, mas eram pequenas, pois eu tinha resolvido vários "problemas" na cirurgia de uma vez só). Provavelmente foi no momento de realização maior do meu "sonho" que me dei conta de que era apenas um corpo, apenas aparência. Talvez eu não suportasse o fato de que agora que eu estava mais padrão, era ainda mais assediada na rua, o que me fazia sentir um lixo humano, um pedaço de carne, um objeto. Talvez eu não estivesse mais aguentando todos os procedimentos estéticos pós-cirurgia, tendo que usar cinta por tanto tempo e tendo complicações médicas, como fibrose na barriga. Não é à toa que eu só tenha duas fotos, apenas duas fotos de mim mesma nesses três meses... Talvez eu tivesse percebido que todos começaram a me tratar melhor por causa da minha aparência e toda a capacidade que eu tinha nem precisasse existir: basta ter um corpo bonito que a vida acontece. Aquilo não era vida, aquilo não era normal, aquilo não era Alexandra...

> Se até a musa fitness magra, alta, loira de olho verde perdeu seguidores por ser mais realista, como uma mulher gorda, que vai contra os padrões, é vista e tratada na sociedade?

De acordo com dados da Comissão de Assuntos Sociais (CAS), uma pessoa se mata a cada 40 segundos no mundo e, no Brasil, a cada 45 minutos. Falar sobre isso é urgente. Estamos nos odiando a ponto de acabar com nossas vidas, o maior dom que temos. O Centro de Valorização da Vida (CVV) é uma instituição que atua com voluntários em quase todo o país. Segundo Leila Herédia, coordenadora da unidade de Brasília, é como um pronto-socorro emocional. "A pessoa precisa conversar, dialogar, falar das angústias que a estão incomodando naquele momento, seja de manhã, de tarde, de noite, de madrugada... Ela pode ligar para o CVV, que vai ter, a qualquer momento, nos 7 dias da semana, nos 365 dias do ano, um voluntário para ouvi-la", afirmou.

O CVV tem postos de atendimento pessoal e on-line. Para conversar ao telefone, o número para ligar é o 188. O site é http://cvv.org.br. Voltarei a falar disso, mas minha dica principal aqui é: não desista. Por favor, não desista. Morrer não é a solução. Eu parei de me odiar, eu encontrei o amor-próprio. É possível, meu bem, é realmente possível. Acredite em mim.

Gordofobia: ela existe e não é piada

Muito além da pressão estética. É esse o resumo do que é gordofobia. Não sei se você reparou, mas todos, exatamente todos os exemplos que eu dei de bodyshaming, mudança corporal, insatisfação etc. são sobre mulheres magras, que estão no padrão. Pegue tudo o que você leu até agora e acrescente o fator "ser gorda". Se até a musa fitness magra, alta, loira de olho verde perdeu seguidores por ser mais realista, como uma mulher gorda, que vai contra os padrões, é vista e tratada na sociedade? Isso quando ela consegue chegar a esse ponto, né? A insatisfação é constante e, para quem é gorda, a vida é injusta. Gordofobia, em suma, é:

— o preconceito pelas pessoas gordas pura e simplesmente pelo formato de seus corpos, distantes do que se espera como aceitável;

— não caber no assento no avião; ter que pedir um extensor de cinto;

— não poder ir com os amigos ao bar para onde eles chamaram porque a cadeira que eles usam no estabelecimento é de plástico e você tem medo de quebrá-la;

— não ter a oportunidade de encontrar uma roupa que caiba em você em um shopping, por exemplo, pois as marcas mais populares não fazem tamanhos maiores;

— entalar na catraca do ônibus ou metrô e ainda ter que ouvir piadinhas e passar pelo constrangimento de pedir ajuda;

— estar grávida e não ter uma maca no hospital em que caiba você, apenas a da cirurgia bariátrica;

- ser tratada como "homem" pelos homens, ser descaracterizada como uma mulher desejável e servir apenas de lanchinho da madrugada, fetiche;
- ir ao médico para tratar o joelho e sair do consultório com recomendação de cirurgia bariátrica, como se fosse um remedinho;
- todo mundo achar que, pelo fato de ser gorda, obviamente você está tentando emagrecer. O corpo gordo se torna alvo de comentários como se fosse um domínio público;
- ter que ouvir de todos os lugares, pessoas e até dos espaços públicos: emagrece que resolve;

A pesquisa Skol Diálogos, encomendada pela Ambev-Skol ao Ibope em 2017, mostra que gordofobia está presente na vida de 92% dos brasileiros. Apesar disso, apenas 10% consideram-se gordofóbicos. Os 90% que não se consideram preconceituosos admitiram ter ouvido alguém dizer a frase "ela é bonita, mas é gorda", como se o fato de ser gorda anulasse a possibilidade de beleza e fosse necessário explicar ou compensar algo. Enquanto uma pessoa magra é só bonita.

"Gordo faz gordice", falam por aí. Afinal de contas, todo gordo é gordo porque come besteira, né? E o ato de comer besteira, gordice, me torna alguém que faz coisa que gordo faz.

"Seu rosto é tão lindo. Por que você não emagrece?"
"Tudo bem ser gorda, mas tem que ser pelo menos simpática."
"Se a gorda quer ir à praia, que pelo menos use um maiô ou se cubra."
"Fulana tem beleza interior."
"Você precisa emagrecer por causa da sua saúde."
"Só é gordo quem quer."
"Tinha que ser o gordo."
"Basta ter força de vontade que você consegue emagrecer."
"Infelizmente não tenho o seu tamanho."
"Ele me trocou por aquela gorda?"

Quem nunca ouviu ou preferiu essas expressões que atire a primeira pedra. E algumas palavras, também, que estão presentes no nosso vocabulário, como cabeça de gordo, gordelícia, bonita de rosto, palavrões e adjetivos perversos que não ouso citar e, para mim, a palavra mais gordofóbica de todas: olho gordo. Sabe o que significa?

Olho gordo é outro nome para mau-olhado. Vamos à definição de mau-olhado na Wikipédia: "Crença folclórica (provavelmente muito antiga por ser observada entre vários povos) de que a inveja de alguém, demonstrada pelo olhar ou não, pode vir a ocasionar a degradação do alvo da inveja ou de uma boa sorte. Tradicionalmente associado à ideia de 'secar com os olhos', de maneira que o olho gordo representa uma forma de impedir a nutrição continuada de uma relação de prosperidade por meio de retirada da umidade."

> "Gordo faz gordice", falam por aí. Afinal de contas, todo gordo é gordo porque come besteira, né? E o ato de comer besteira, gordice, me torna alguém que faz coisa que gordo faz.

Lembra do caso da Luciana Gimenez, que chamou as pessoas que a atacaram no Instagram de "gordas invejosas"? Dá para entender de onde ela tirou isso. Está entranhado na sociedade que o olho gordo é invejoso, faz mal e quer ser como você, quer ter o que você tem... Ser gorda é ter inveja de gente magra e querer desesperadamente emagrecer para fazer parte desse time privilegiado de pessoas que são alvos de inveja. Na real, gordofobia é ser excluído socialmente e ainda ter que ouvir "e a saúde?". E é assim que o assunto acaba sempre, na saúde.

"Muito legal esse lance de se aceitar, mas você sabe que obesidade é doença, né?"

Engraçado. Parece que a obesidade é a única doença no mundo em que a pessoa doente é a culpada, sendo que o único sintoma é ser gordo. Como mostrei com dados e fatos ao longo deste capítulo, fazer exercícios e se alimentar de forma saudável não faz de você uma pessoa magra, já que grande parte das pessoas não apresenta perda de peso. Hábitos saudáveis te tornam saudável, não magra. Que tal pararmos de comparar magreza com saúde?

A gordofobia nasce quando a pessoa gorda é dada como doente mesmo que não se saiba nada do seu histórico de saúde, focando apenas em sua aparência física. *"É gordo? É doente!"* Ainda há muito a pesquisar nesse campo, e eu estou aqui muito mais para levantar questões do que para dar respostas. Precisamos pensar mais sobre o biotipo das pessoas, se alguém é realmente doente pelo fato de ser gordo ou se isso não é uma questão política, higienista...

Qual é o preço que a gente faz uma pessoa gorda pagar para ela ter que emagrecer a qualquer custo? Será que estamos preocupados com a saúde da pessoa gorda ou só queremos que ela emagreça, desapareça? É um novo recorte que eu proponho em pesquisas estatísticas, mas por um viés diferente.

A principal luta contra a gordofobia é essa: despatologizar o corpo gordo. Tirar de nós o estigma de doentes única e exclusivamente pelo formato de nossos corpos. E tudo isso a partir do IMC, índice criado em 1800 para estabelecer estatísticas populacionais. Basta fazer uma conta de duas coisas sobre as quais você não tem o menor controle, seu peso e sua altura, e rapidamente você vai saber se é ou não saudável. Parece mágica: eu consigo descobrir como está a minha saúde com uma calculadora, olha só!

Então, se você usa a expressão "acima do peso", quer dizer que acredita que, a partir dessa matemática, você considera alguém com menos saúde. E obesidade? É dizer, a partir dessa métrica, que alguém vai morrer jovem e precisa emagrecer desesperadamente.

O curioso é que, segundo o IMC, eu sou obesa, mas meus exames dizem que estou saudável. Em quem eu devo acreditar? Naquilo sobre o que eu não tenho controle algum ou no que o meu sangue e órgãos dizem? Se 53% da população está acima de um peso aceitado como saudável, estamos todos doentes? Precisamos emagrecer todo mundo, é isso? Não entendo como seguem confiando nessa conta de mais de 200 anos atrás para determinar saúde. Felizmente já podemos encontrar nutricionistas e médicos que tiraram essa continha matemática de sua abordagem para tratar a saúde do indivíduo, e não sua aparência física.

"Ah, mas obesidade causa outras doenças." Pois é, entramos numa grande área cinzenta. Existem estudos recentes que falam que a pessoa gorda não tem tendência a ter diabetes, pelo contrário: a pessoa tem diabetes, por isso engorda. Engordar de repente seria um sintoma da diabetes, não o fato de a pessoa ser gorda que fez surgir a doença. Um estudo publicado pela Clinical Obesity, em 2018, afirma que "só ser obeso" não existe risco de morte, e sim quando se tem outras doenças associadas, como diabetes ou hipertensão. Essas investigações são importantes e estão apenas começando, porque todas as diretrizes te indicam o caminho contrário, então será que estamos caminhando para um futuro mais justo?

Esse assunto já está sendo discutido e analisado ao redor do mundo, mas ainda é embrionário e vai contra tudo o que se pensa sobre ser saudável. Portanto, não adianta ficar rebatendo e comprovando algo que acabou de começar, mas deixar claro para todos que a gordofobia existe, que tratamento, acesso e oportunidades para pessoas gordas e magras são diferentes, sim.

E vou apenas jogar algumas coisas para sua reflexão: quando falamos de grupos de minoria, falamos de política. Uma minoria não está em menor número na sociedade, pois não se refere a uma quantidade de menor de pessoas, mas sim à desvantagem social. E essa desvantagem se dá a partir de relações de opressão, envolvendo desde a falta de direitos políticos até as inúmeras formas de preconceitos.

Beleza. Temos então três pontos:

1) **Os homens fazem e executam as leis. Uma quantidade pequena de pessoas representa todos os anseios e mudanças do Brasil. São essas pessoas que ignoram o fato de que a gordofobia existe, por exemplo, já que não existem leis que tornem o preconceito um crime e proporcionem direitos e acessos à pessoa gorda.**

2) **A pessoa gorda, que está em maior quantidade numérica, sofre preconceito, tem seus direitos violados e precisa emagrecer para conseguir viver em sociedade.**

3) **A pessoa gorda é vista e tratada como doente, sendo que o único sintoma é o fato de ela ser gorda, e ainda é culpada por não conseguir "se curar".**

Dá para entender? Se alguém ainda não enxergava isso como uma atitude discriminatória do nosso sistema social, espero que esteja claro. E é a partir desse olhar que entendemos nossos privilégios sociais. Entendemos que quem é homem, branco, magro, heterossexual, rico... Essa pessoa está em situação de privilégio em relação aos seus opostos. Por isso queremos a pauta da gordofobia incluída politicamente como discriminação social e também em movimentos de minoria. Lembrando que não estou fazendo apologia à "obesidade". Estou apenas te mostrando a realidade dos fatos e que pessoas gordas existem, podem ser felizes e não precisam se encaixar num peso ideal.

Aliás, eu me recuso a aceitar a palavra "obesidade" justamente pelo fato de que se refere a uma doença. Eu não sou doente, não sou obesa. Sou gorda.

Depois de todo esse panorama, talvez você perceba por que a palavra "gorda" tem tanto peso. Trocadilho perfeito. E real. Ser gorda na sociedade é ter seus direitos negados e ainda ouvi-la sempre acompanhada de adjetivos para te definir: doente, frouxa, descontrolada, indisciplinada, fracassada, preguiçosa, infeliz, assexuada... A pessoa gorda é sempre a que sofre por sua própria culpa.

Eu odiava essa palavra. Já terminei um relacionamento porque o cara me chamou de gorda, mas em tom de elogio. "Você é uma gorda linda", ele disse pelo MSN, na época. Assim que ele soltou essa, meu cérebro bugou: "Ele está me chamando de feia e bonita ao mesmo tempo?" Era só nisso que eu pensava, mas "gorda" teve um peso maior e eu parei de sair com ele. Até então era impossível o fato de uma pessoa ser gorda e linda ao mesmo tempo, já que aprendemos que uma coisa anula a outra, certo?

A ideia para combater isso é ressignificar essa palavra. É apenas uma característica física. Por isso não curto termos como *plus size* (categoria do segmento de moda), fofinha, cheinha, fortinha... É gorda, meu bem. Se quiser falar gordinha, tudo bem, realmente tem uma galera que está no padrão estético "nem gorda, nem magra" que se sente melhor com o eufemismo, até porque de fato pessoas nessa situação podem até ser gordas, mas não sofrem gordofobia.

Eu tenho uma tatuagem em que está escrito "fatpower", que é poder gordo. Eu sou uma mulher gorda, sou poderosa e orgulhosa de ser essa pessoa. Mas não pelo formato do meu corpo, porque, apesar de não ter problema algum com a palavra, ser gorda é apenas uma característica. Eu sou muito mais do que apenas um corpo!

A palavra "gorda", em suma, é resistência. E muitos não entendem ainda, querendo derrubar meu discurso, questionando: "Se gorda não é palavrão por que você problematiza quando chamam alguém de gorda?" E aí é que vemos como a sociedade está realmente cega. Quando praticam bodyshaming, ridicularizando o corpo das pessoas, geralmente a palavra "gorda" é usada, sim, mas muitas vezes não é. Baleia, rolha de poço, vaca, porca, balde de banha, chupeta de baleia, canhão, baranga, hipopótamo, jamanta, bujão, barriga positiva... São todas palavras consideradas "formas legais de apelidar seu amigo gordo" que eu vi num fórum gordofóbico, e que estão presentes nos ataques de ódio e humilhação do corpo gordo.

#GordofobiaNãoÉPiada

Esses "apelidos" são comumente encontrados em textos de humor. Zoar o corpo gordo sempre foi natural, socialmente aceito, até porque o gordo carrega consigo um estereótipo de engraçado, né? Já reparou como a pessoa gorda meio que precisa "compensar o peso extra" com alguma qualidade? É a gorda engraçada, a gordinha simpática, o gordo valente, o gordo inteligente...

Aliás, eu me recuso a aceitar a palavra "obesidade" justamente pelo fato de que se refere a uma doença. Eu não sou doente, não sou obesa. Sou gorda.

No dia 24 de dezembro de 2017, véspera de Natal, saí na capa de uma matéria da *BBC News* on-line só de sutiã e com um sorriso no rosto e o seguinte título "'A gente não quer mais ser visto como doente': a vida de quem é alvo de gordofobia." Um humorista decidiu citar essa matéria, com a minha imagem, em seu perfil do Twitter, "brincando" com o fato de ter comido demais na ceia e de que isso o tornaria maior do que eu.

Bom, nessa época ele tinha 16 milhões de seguidores na plataforma. Eu não sei se você sabe o que acontece quando uma pessoa com essa quantidade de gente seguindo te expõe, então deixa eu te contar: milhares e milhares de pessoas vêm atrás de você, te xingam e destroem o seu dia. Porque, por mais que eu seja uma mulher ati-

Eu sou uma mulher gorda, sou poderosa e orgulhosa de ser essa pessoa.

vista, não há saúde mental que dê conta de tanta gente assim destilando ódio, criando montagens, mandando mensagens de ameaça, e tudo por causa de uma foto com uma gorda feliz e um título que quer combater a patologização do corpo gordo. Se isso não é gordofobia, o que mais seria?

Acabou com o meu dia. E o meu dia foi o Natal. No dia 25 eu fui para casa da Isabella Trad, minha amiga, e fiquei pensando no que fazer. Decidi fazer um vídeo-resposta ao ocorrido e, basicamente, contei a minha vida e expus a situação, numa tentativa de iniciar um diálogo para que esse mesmo cara, que tem tanto seguidor, conseguisse, de alguma forma, mudar de ideia. Nunca se sabe.

No final do vídeo, eu pedi para meus seguidores usarem a hashtag #GordofobiaNãoÉPiada. E foi assim que o vídeo viralizou, contando mais de 4 milhões de views no Facebook e 400 mil no YouTube. Usaram tanto a hashtag que ela ficou em primeiro lugar no Brasil como as mais usadas no Twitter por mais de 15 horas e em segundo no mundo por quase 10 horas. É curioso que, na rede social onde eu recebi tantos ataques, recebo por outro lado muito apoio. Nos dias seguintes, mais de 40 veículos falaram sobre o assunto, alguns me entrevistaram (teve canal de televisão) e isso me fez sair até na lista do *Buzzfeed* de mulheres incríveis de 2017. Foi tudo bem rápido, mas, se você acha

No dia 24 de dezembro de 2017, véspera de Natal, saí na capa de uma matéria da *BBC News* on-line só de sutiã e com um sorriso no rosto e o seguinte título "'A gente não quer mais ser visto como doente': a vida de quem é alvo de gordofobia." Um humorista decidiu citar essa matéria, com a minha imagem, em seu perfil do Twitter, "brincando" com o fato de ter comido demais na ceia e de que isso o tornaria maior do que eu.

que mudou alguma coisa com o opressor, enganou-se. Nada de novo.

Em outra citação da minha matéria, ele escreveu: "Se chatice fosse doença..." Isso me faz pensar em como a sociedade reclama que "essa galera do politicamente correto só faz mimimi... Na minha época não era assim; o mundo está chato." É uma constante. Aí eu te pergunto: o mundo está chato para quem? Para mim está chato há muito tempo! Machismo, pressão estética, gordofobia, falta de direitos... Já está chato há muito tempo, e só agora, quando estamos conseguindo conquistar mais espaço e voz, querem dizer que é mimimi, que é politicamente correto? Se fosse politicamente correto de verdade, tínhamos nossos direitos garantidos. O mundo já é chato para mim há muito tempo. Exigir meus direitos não é oprimir ninguém.

Recomendo que você assista ao stand up *Nanette*, da australiana Hannah Gadsby, que é muito útil para refletir sobre essa temática da piada.

E sinto dizer que, sim, até mesmo para falar de aceitação já existe um padrão. Entre as modelos plus size existe um corpo aceitável e padronizado a ser seguido: uma gorda branca, curvilínea, com peitos e bundas grandes, cintura mais fina e sem "muita gordura". A realidade que temos agora é de modelos plus size tendo que emagrecer para conseguir trabalho. Se vestir acima de 52 já é um "problema". Repetimos o que aprendemos, reproduzimos formas de padronizar as pessoas, continuamos o ciclo de insatisfação dentro da minoria e fazemos as pessoas se caracterizaram como "plus size" quando são gordas. Plus size é para falar de roupa. Você não é uma peça de roupa em tamanho maior, pelo amor de deus.

Gordofobia é muito mais do que eu levantei aqui. Ainda entra a questão dos relacionamentos, fetiche, falta de oportunidade de emprego, discriminação em consultórios médicos (muito real e presente no dia a dia), em hospitais... Não acaba, mas precisamos de mais pessoas falando, pesquisando, buscando solucionar esse problema e, assim, trazer leis que nos beneficiem para uma vida melhor e justa.

> **Não ache que, só porque a pessoa é gorda, ela automaticamente está querendo perder peso.**

Por mais que não possamos erradicar a gordofobia da nossa vida, podemos evitar reproduzir comportamentos gordofóbicos, o que acha?

Fiz uma lista com 10 comportamentos gordofóbicos a evitar:

1) Não ache que pessoas gordas são assim porque fazem "gordice", comem demais e têm uma vida sedentária.
2) Não comente sobre o corpo dos outros.
3) Não ofereça ou compartilhe qualquer tipo de dieta, exercício ou solução emagrecedora caso não tenha sido solicitado. Não ache que, só porque a pessoa é gorda, ela automaticamente está querendo perder peso.
4) Não use seu preconceito disfarçado de preocupação com a saúde quando o que incomoda é a aparência.
5) Não seja fiscal do prato alheio.
6) Não ache que pessoas gordas não podem ser saudáveis e não conseguem fazer coisas como dançar, transar, ter filhos, praticar ioga e correr uma maratona, por exemplo.
7) Evite expressões e palavras gordofóbicas.
8) Respeite a pessoa gorda (parece óbvio, mas, né?).
9) Não trate pessoas gordas como doentes, fracassadas ou coitadas.
10) Não faça piadas com pessoas gordas. Gordofobia não é piada.

Eu falei sobre ser mulher e ser gorda porque é o que eu sou e o que me trouxe a fazer este livro, mas perceba que, se eu fosse negra, LGBTQ e periférica, certamente seria muito mais oprimida do que sou. Tenha empatia com o outro e entenda seus privilégios.

Em vez de tratar o fato de ser gordo como morte, doença, vamos falar de vida? Porque, acredite ou não, é possível ser gorda e ser feliz. Depois que eu entendi tudo isso, finalmente descobri onde estava pisando e porque eu me odiava. Eu me odiava muito. E eu não queria mais me odiar. E foi assim que eu construí um caminho árduo em direção ao amor-próprio.

A pergunta que eu me fazia a todo momento nessa fase era: você prefere passar a vida toda tentando se encaixar em algo inalcançável ou lutar para se amar todos os dias?

Adivinha a minha resposta.

**Não faça piadas
com pessoas
gordas. Gordofobia
não é piada.**

3

AUTOCONSCIÊNCIA E BODY POSITIVE: AGORA EU VOU ME AMAR

Eu decidi que iria me amar. E hoje, observando a minha história com uma distância de dois anos e meio, consigo entender qual foi o caminho que eu segui, o que eu fiz, como eu fiz e posso ajudar você nesse processo. Perceba que diversas vezes ao longo do capítulo anterior eu falei sobre "inconsciente coletivo", a forma como a nossa sociedade pensa e age a partir de regras e padrões socialmente impostos. Portanto, eu criei um método de pensamento em que percebemos a existência do inconsciente coletivo (segundo capítulo), que nos é empurrado goela abaixo com um olhar padronizado, tomamos consciência dele e de como a sociedade funciona, descobrindo uma nova forma de enxergar a nós mesmas e aos outros (este capítulo) para, depois, focarmos na parte prática (próximo capítulo). Então, esta é a hora de você ter noção do que acabou de ler e refletir sobre isso, porque não é um processo simples.

Ao descobrir que me odiava, eu percebi que vivia em uma sociedade patriarcal machista que coloca a mulher em segundo plano em todas as esferas sociais, o que me fez entender que as coisas que aconteciam comigo tinham um motivo. Nesse processo de conscientização, questionei cada minúcia da minha vida, tentando entender se as coisas que eu sentia, gostava e fazia eram mesmo minhas ou me foram ensinadas, já que era uma constante na história desse país a forma como os papéis eram impostos às mulheres. Entendi que não tinha culpa por sofrer essas opressões e que eu poderia me libertar delas, mas não sabia por onde começar, com quem falar... Estava totalmente perdida. Eu quis gritar, fazer alarde, ligar para alguém, mas quem? Meu cérebro explodiu.

O que aconteceu comigo foi o início de processo de desconstrução. Lembra quando falei de construção social, que existe uma expectativa a partir do nosso sexo e, a partir dela, papéis sociais nos são impostos e "definem" quem somos? Pois é. Tudo isso foi construído em nós. E esse momento de conscientização é a hora da desconstrução. Agora vamos quebrar de vez todos esses conceitos. Só assim conseguiremos nos livrar do ódio-próprio e encontrar o caminho do amor-próprio.

Amor-próprio é o sentimento de dignidade, estima e respeito que temos por nós mesmas. Quando nos odiamos, sentimos raiva, aversão. O caminho do amor-próprio passa pela desconstrução do ódio em sua vida. Sem isso não se avança, sem ele você não entende que tem valor, que vale a pena lutar por si mesma. E a tomada de consciência é o primeiro passo.

Eu estava perdida mesmo, mas, agora que já passei por algumas fases desse processo, que começou há 3 anos, eu ouso criar uma linha de raciocínio que te conduza ao mesmo caminho. Acredito, de verdade, que ela possa te ajudar, porque conversando com amigos que passaram pelo mesmo percurso, as histórias se conectavam. São quatro coisas que você precisa saber:

1) Entenda que a culpa não é sua

Se você enche uma criança de ódio, ela não consegue desenvolver pensamentos de autovalorização. Ódio-próprio é um sentimento que só pode vir de fora. E, quando eu me dei conta, já era tarde: eu já era gordofóbica, machista e repleta de preconceitos contra mim e outros que não somem num estalar de dedos. Você internaliza aquele preconceito e aprende a se odiar profundamente. Você fica com vergonha, medo, se sente menos, se desvaloriza. Na real, ter noção de que a culpa da opressão não é sua, de que você foi, de fato, e continua sendo oprimida, ajuda muito.

Se tem uma grande quantidade de peso que você deve perder de forma rápida e emergencial, é o peso da culpa, porque, ao entender que é a sociedade agindo, ela sai de você. Talvez as sequelas dessa vida de ódio e culpa continuem te perturbando durante muito tempo, afinal de contas você vive em sociedade e é fruto dela, além de seguir nela. Você diariamente será colocada diante de situações que vão te incomodar, te fazer refletir e pensar como as coisas são. O legal desse processo é que você entra num modo questionador e reflexivo sobre tudo, o que é ótimo, afinal somos seres pensantes e se perguntar como as coisas são torna tudo mais interessante. E profundo. Prepare-se para ir além de uma resposta superficial para TUDO. Já ouviu a palavra "problematizar"? É bem isso.

Faz parte do processo de desconstrução questionar cada minúcia das coisas para entendê-las, ver a lógica dessas coisas, conectar ideias e raciocinar. Esse movimento é importante porque te conecta com o mundo e faz perceber que a sua vida não está destinada a nada, você que pensava assim, as pessoas que te ensinaram isso... É um universo de possibilidades que se abre. Que privilégio!

> **Ódio-próprio é um sentimento que só pode vir de fora. E, quando eu me dei conta, já era tarde: eu já era gordofóbica, machista e repleta de preconceitos contra mim e outros que não somem num estalar de dedos.**

E se você começar a pensar apenas em você em primeiro lugar, no que você quer? Não há problema algum em mudar, mas de onde vem essa vontade? Não seria a sociedade te dizendo o tempo inteiro para corresponder aos padrões impostos? Não seriam as pessoas que reproduzem todo tipo de preconceito estrutural e te diminuem única exclusivamente por ser mulher, só para começar? A culpa não é sua.

Tudo isso gera expectativa na gente e nos faz perguntar: eu deveria ser assim, então? "Peraê. Então, se eu não for desse jeito, estou burlando regras, estou fora da panelinha, vou ser a última a ser escolhida nesse jogo da vida, será?" Pois é. O que a sociedade te diz o tempo inteiro é exatamente isso: ou se encaixa, ou vaza. Aqui não tem espaço para você.

E foi assim que eu fui criando o meu próprio espaço. Dentro de mim. O ódio-próprio já estava cada vez mais fraco e liberou espaço para algo que eu sempre busquei, em todos os lugares, religiões, pessoas, eventos... Abriu espaço para o meu amor-próprio. Para a paz. A verdadeira paz de estar em paz consigo mesma. Isso não tem dinheiro que compre, pessoa que traga, trabalho que supere, nem reconhecimento que preencha. Apenas você pode fazer; é algo extremamente único.

Seu ódio-próprio foi construído socialmente, mas o seu amor-próprio começa a ser construído individualmente. É todo o processo de olhar para você, se voltar para você mesma e ter total autocompaixão e entender que a culpa não é sua. Eu passei 26 anos me odiando. Não seria do dia para a noite que iria me amar, certo?

É um processo, demora demais, e até hoje eu reproduzo comportamentos que me foram ensinados. A desconstrução é para sempre. Mas pega logo esse martelo que ela começa agora.

Quando você entende o contexto em que está, começa a perceber que muita coisa não é culpa sua. É a sociedade em que você está inserida, foi criada e educada a ser de uma forma específica. Com um padrão a ser cumprido, seguido, esperado. Com milhões de expectativas em relação ao que você será como ser humano. Não tente atender às expectativas que criaram a seu respeito. Elas dizem respeito aos outros, não a você. Você não tem culpa, meu amor. De verdade, comece a entender isso.

2) Talvez suas amigas não estejam interessadas no assunto e você se sinta solitária

Você tem que saber que quem está fazendo um processo, quem está se aceitando, é você, não é o mundo. O mundo vai permanecer do jeito que está, e você é quem vai fazer um movimento de mudança. Coloque na cabeça que quem está nessa não é a sua irmã, sua prima, seus amigos, seu namorado, sua namorada, não é sua mãe e nem seu pai, é você! É preciso entender isso porque a primeira coisa com que a gente se depara quando começa a desconstruir padrões é: "Meu Deus, as pessoas ao meu redor são tóxicas"; "como elas são burras"; "não é possível que só eu perceba isso" e isso e aquilo... E não, não é.

Eu entendo. A gente começa a problematizar tudo mesmo, mas cada um tem o seu processo, cada um faz o que quer da vida. Vai ser normal enfrentar situações do tipo: "ela falou gordice, que gordofóbica"; "minha amiga é magra e disse que é gorda; ela não tem noção de nada mesmo"; "eu falei para a minha mãe que sou feminista e ela me deixou de castigo"... Vão rolar problemas com pessoas da família, na academia, na faculdade, no estágio, no trabalho, na escola... É normal. Não julgue essas pessoas. Talvez elas ainda não tenham acesso à informação que você está tendo agora.

Essa parte não é fácil. Quando tomei consciência das coisas, eu quis muito dividir tudo isso com quem estava ao meu redor, principalmente na questão corporal. Na época eu tinha amigas próximas, mas tentava iniciar o papo a partir de um questionamento meu e nunca "rendia". Eu não me sentia à vontade para falar sobre algumas coisas, nem abertura. Era tudo tão novo para mim que eu me achava meio "burra" também, com uma autoestima intelectual baixa sobre o assunto, sem saber como me expressar.

Bom, a verdade é que essa mistura de falta de interesse de quem estava ao meu redor com uma insegurança de principiante me fez criar o Alexandrismos. Eu não sabia muito bem o que fazer, mas queria falar sobre aquilo com pessoas que quisessem ouvir e discutir, daí comecei um canal no YouTube, mais para encontrar semelhantes do que para qualquer outra coisa. E foi o que aconteceu.

Portanto, se liga numa coisa: você está fazendo isso tudo sozinha. Não é algo que você começa entre amigas. Pode até acontecer, mas é um movimento que se inicia a partir de você; os outros estão levando as vidas deles. Vai ser complicado no começo, você deve se sentir sozinha e incomodada com a atitude dos seus amigos e provavelmente retirar algumas pessoas do seu convívio. Isso tudo pode te fazer questionar se quer mesmo segurar essa barra e seguir em frente na desconstrução, porque é nesse ponto que percebemos que a ignorância é um verdadeiro dom. Seria mais fácil continuar sem saber disso tudo? Seria mais fácil passar a vida toda buscando um ideal que não existe? Bom, eu recomendo que você siga em frente.

Só fui entender depois que não existe um modo a seguir, que era algo que eu iria descobrir ao longo do percurso. Se eu levei 26 anos para chegar até ali, não seria do dia para a noite que eu mudaria. E é injusto que eu cobre isso de alguém. A gente não pode forçar ninguém a iniciar um processo de autoconhecimento e quebra de padrões. É íntimo demais, entende?

3) Você não está sozinha nessa

Eu te falo para seguir em frente porque você descobre que, na verdade, não está sozinha. Você só achou que estivesse. Pode ser que inicialmente você se sinta muito solitária mesmo e acabe tendo que afastar algumas pessoas da sua vida. Ok. Mas depois, meu amor... É tão bom! Na minha época eu não tinha muito a quem recorrer, principalmente em se tratando da questão corporal (aceitação, body positive, gordofobia), então era difícil ver gente falando disso na internet: só rolava no Facebook e em poucos blogs. Mas eu não queria só ler! Queria ver, sentir, conhecer, fazer parte, lutar, ajudar, me sentir conectada com outras pessoas que falassem e vivessem aquilo também.

Passei 26 anos sem conversar com as minhas amigas sobre coisas que só fui descobrir que elas também passavam depois que eu lancei o meu canal. Amigas que sofreram com distúrbios de imagem, anorexia, bulimia, tentativas de suicídio... E isso nunca tinha sido conversado com ninguém. E eu sei a dor do que é sofrer sozinha. Na minha adolescência não havia youtubers que falassem sobre isso; ninguém ainda escrevia sobre nada relacionado a esse assunto. Eu me sentia uma anomalia por não conseguir me encaixar, não fazia ideia de que aquilo me foi imposto. Era uma dor solitária, e é muito mais odioso passar por tudo isso achando que ninguém vai te compreender.

> **Portanto, se liga numa coisa: você está fazendo isso tudo sozinha. Não é algo que você começa entre amigas. Pode até acontecer, mas é um movimento que se inicia a partir de você; os outros estão levando as vidas deles.**

Se tem algo de maravilhoso na internet, é isso. Ela conecta pessoas com interesses em comum no mundo todo. Você descobre que não está sozinha, que tem gente como você por aí, e essas pessoas podem fazer parte da sua vida, mesmo que virtualmente. O YouTube me trouxe muitas amigas, todas vocês. De uma forma ou de outra, por mais que eu nunca tenha me encontrado ao vivo com a maioria das pessoas que me seguem, cada comentário, pergunta, e-mail, questionamento me fez pensar e refletir, criar vídeos e iniciar discussões com uma galera que está interessada em falar sobre aquilo. E foi assim que nasceu o meu próprio grupo de discussão.

Se você acha que não tem lugar para falar, ninguém ao seu redor, se não encontrou um grupo com o qual se identifique na internet ou sente vontade apenas, crie o seu próprio grupo também. Pode ser em qualquer lugar, de qualquer maneira, desde que você compartilhe suas vivências e escute as experiências das outras pessoas.

E, quando tiver esse grupo, evite se comparar. Por exemplo, muita gente que me vê como referência pode pensar: "Eu queria ter a confiança da Alexandra e não consigo..."; "Ela consegue sair de biquíni na praia; eu queria essa autoestima"; "Ela posta fotos de barriga de fora; eu queria ter essa coragem"; "Ela entende tudo de feminismo"... Isso é um perigo. Não se compare. É uma linha bem tênue entre admiração e comparação. Uma coisa é admirar uma pessoa, tê-la como referência, inspiração. E ter referências é importante, é representatividade para você. Mas não caia na cilada de começar a se achar menos, a pensar que é burra, que não sabe nada. Muita gente cai nessa armadilha. Cada um tem o seu tempo. Ninguém é "A rainha do amor-próprio", meu amor, ninguém nasceu sabendo. Vamos aprendendo dia após dia. Estamos juntas nessa.

Eu te falo para seguir em frente porque você descobre que, na verdade, não está sozinha. Você só achou que estivesse. Pode ser que inicialmente você se sinta muito solitária mesmo e acabe tendo que afastar algumas pessoas da sua vida. Ok. Mas depois, meu amor... É tão bom!

Compartilhar vivências é essencial, pois é o momento em que você coloca em prática as coisas que vem questionando. Foi falando que eu comecei a me aceitar. Mas pensar em voz alta não é uma prática muito nova, né? Terapia que chama. E dá certo. Com o terapeuta, obviamente, mas em grupo também. Conversar sobre as mesmas questões faz você entender que existe um papel social nisso tudo, algo que vai muito além de questões individuais suas. E te faz sentir normal.

Por isso, aproveite ao máximo para ouvir quem fala sobre os assuntos que te interessam, leia livros, artigos, matérias... Coloque em prática o que aprender. Talvez seja interessante escrever também. Eu fazia vídeos, e isso me ajudou muito a moldar meu pensamento, sabe? Quando colocamos as coisas para fora e criamos um argumento, tudo faz mais sentido. Você só começa a viver essas coisas em sua vida, de fato, quando coloca em prática. É bem difícil, mas comece de alguma forma.

4) Você pode se libertar, mas está longe de conseguir ser totalmente livre

Esse é o momento complicado. Eu segui todo um processo de me desconstruir, me reconstruir, me aceitar e hoje eu me amo, trabalho com isso, tenho amigos que convivem diariamente comigo e me ajudam a colocar em prática tudo o que eu falo. Mas é só pisar na rua que você percebe que esse mundo de unicórnios coloridos da

> **Tenha paciência, porque pouco a pouco, conforme você vai se desconstruindo, o seu redor vai mudando também. Porque suas escolhas mudam, então, consequentemente, você vai, pouco a pouco, conseguindo mudar o que está ao seu redor. Não que você vá mudar as pessoas, mas as suas escolhas, as suas vivências, os lugares aonde você vai, as pessoas com quem convive, elas vão mudando...**

desconstrução só existe na sua panelinha, na sua bolha. Se a gente não consegue mudar do dia para a noite, imagine transformar a sociedade.

O machismo vai continuar, a pressão estética vai seguir firme, a desigualdade dos sexos estará presente, a misoginia é um fato, a gordofobia está em todos os lugares, tem preconceito em todo canto... Isso dá uma desanimada, eu confesso. No meu caso, que peguei essas pautas como causa, me tornei militante, a sensação é a de que tudo o que fizemos foi em vão, que nunca vamos conseguir mudar nada e é isso aí.

Acontece com todo mundo. É um choque de realidade mesmo entender que você não pode exigir que ninguém te aceite e muito menos mude por sua causa. O que você pode exigir é tolerância e respeito, que já ajuda — e muito — no caminho do amor-próprio. Mas infelizmente eu não posso mentir: você vai continuar sendo oprimida, as coisas na sociedade vão permanecer iguais e isso pode te deixar com raiva do mundo.

Entendo a sua dor, mas saiba que, por mais que essas coisas não mudem agora, são pessoas como você que vão fazer a diferença no futuro. Cada pessoa que se desconstrói e passa para outra um pouquinho dessa ideia torna o mundo um lugar melhor, e isso não é papo, é real: quanto mais gente, mais gente. A matemática é tão boa para essas coisas...

Tenha paciência, porque pouco a pouco, conforme você vai se desconstruindo, o seu redor vai mudando também. Porque suas escolhas mudam, então, consequentemente, você vai, pouco a pouco, conseguindo mudar o que está ao seu redor. Não que você vá mudar as pessoas, mas as suas escolhas, as suas vivências, os lugares aonde você vai, as pessoas com quem convive, elas vão mudando... Você aprende a se proteger, evitar passar por situações desagradáveis (evitar a fadiga, sabe?), escolhe quem vai estar ao seu lado, vai saber lidar melhor com momentos desagradáveis...

Eu nunca falei que o caminho da desconstrução seria fácil. Muito pelo contrário: é bem mais fácil você seguir com a sua vida repleta de insatisfações, sem se perguntar o motivo das coisas. Viver na ignorância é uma bênção às vezes, porque é cada raiva que a gente passa... Bom, mas, se você chegou até aqui, sinto lhe informar que a ignorância foi embora. Vamos aprender a lidar com a realidade, então?

A opinião dos outros não define quem você é

Eu dei esse tapa em você agora, mas não ia te deixar sem um carinho no coração ou sem uma solução para driblar a sociedade. No caso, para impor o respeito que você merece e parar de se importar com a opinião dos outros, o que já vai te proporcionar uma vida bem mais tranquila. Não é uma mudança que se dá do dia para a noite, não é simples, mas colocá-la em prática tem resultados a longo prazo, porque viver uma vida baseada no que os outros pensam é uma prisão.

Antes de tudo, você precisa saber que ninguém realmente se importa, porque, na verdade, não somos tão especiais assim. Não estou falando que você não é única. Apenas que não somos o último biscoito (sou carioca) do pacote, entende? O mundo não gira ao redor do nosso umbigo. São mais de 200 milhões de pessoas no Brasil. Você acha mesmo que os seus problemas, inseguranças e anseios são únicos e diferentes dos demais? Não, amiga. Cada um cuida do seu. (Mesmo que pareçam gostar de cuidar do nosso às vezes, né?)

Na real, passamos boa parte do tempo pensando em como evitar que outras pessoas nos julguem, mas a verdade é que elas estão pensando a mesma coisa, sabe? Nos dias atuais, em que a gente não tem tempo para nada, as pessoas pensam apenas um breve segundo sobre nós. Repare só como você passa muito mais tempo pensando em você, nas suas angústias e problemas, do que nos outros.

E isso é fácil de explicar, pois nós produzimos, em média, 50 mil pensamentos por dia. Ou seja, se alguém pensa em você umas 20 vezes ao dia (o que é um número alto), mesmo assim corresponde apenas a 0, 04% dos pensamentos diários dela. A verdade é que nós filtramos o mundo a partir do nosso ego, ou seja, pensamos as coisas baseadas no "eu", no "meu"... Repare só! Isso significa que, a menos que você tenha feito algo que afete diretamente a outra pessoa ou a vida dela, ela não vai passar muito tempo pensando em você.

Muitas vezes a sua insegurança de sair de casa devido ao que "os outros vão achar" é algo seu, somente seu e unicamente seu. E você deixa de viver as coisas por causa da opinião alheia. Ó, céus, eu sei o que é isso. Sei bem. Mas calma que ainda não acabamos essa parte. Só começou.

Outra coisa que você precisa saber é que não dá para agradar a todos. "Nem Jesus agradou todo mundo", dizem. Um clichê não é clichê à toa. É impossível atender às expectativas de todos. Sempre tem alguém — não importa o que digamos ou como tratemos essa pessoa — que vai nos julgar, criticar e apontar. Se você está na academia, no trabalho, pegando o metrô, postando uma foto no Instagram ou vendo um vídeo no YouTube... Agora mesmo está acontecendo. Você nunca poderá impedir que as pessoas te julguem, mas pode impedir que isso te afete.

> **Antes de tudo, você precisa saber que ninguém realmente se importa, porque, na verdade, não somos tão especiais assim. Não estou falando que você não é única. Apenas que não somos o último biscoito (sou carioca) do pacote, entende? O mundo não gira ao redor do nosso umbigo.**

Pense em uma mulher que você considera diva. A cantora Rihanna, por exemplo. Maravilhosa, dona de si, feminista, ajuda diversas causas, "lindíssima, falou tudo". Todos amam Riri? Se você não concorda comigo, provavelmente deu uma torcida no nariz, né? Muita gente odeia a cantora, tipo odeia mesmo. O corpo dela é falado, criticado o tempo inteiro. Se ela engorda, "está grávida?", "perdeu a noção?"; se emagrece, "Tá vendo", "Não se aceita"... Bodyshaming, você já aprendeu.

Meu bem, nem Rihanna é amada por todos. Ela, que é famosa, com uma carreira duradoura e de sucesso, tem dinheiro para cinco gerações, tem acesso a tudo... Se ela sofre com julgamentos o tempo inteiro, você acha mesmo que se importar com o que pensam de você é uma boa saída? Acha que tentar corresponder às expectativas que têm de você é a solução para uma vida feliz? O que é uma vida feliz? O que é felicidade para você? Talvez a resposta a essa pergunta te ajude a entender se a opinião dos outros realmente importa.

Ninguém muda nada no mundo sem gerar incômodo.

Incomode.

Eu te ajudo.

Quando falamos que "amar o seu corpo e quem você é é um ato revolucionário", não é à toa. Soltar essas amarras, uma a uma, é uma revolução na sua vida. É gritar para todos os lados que você não aceita mais, que não é assim que vai acontecer daqui para a frente, é você se rebelar contra os deveres que lhe foram impos-

tos e ir em busca de direitos que você nem sabia que tinha. É um ato revolucionário, sim, meu bem. Um puta ato revolucionário!

Então, volte aqui: pense no pior que poderia acontecer quando alguém está julgando você ou o que está fazendo. Garanto que as chances são: nada pode acontecer. Absolutamente nada. Ninguém vai sair da sua própria vida ocupada para te con-
frontar. Porque, como mencionei anteriormente, ninguém realmente se importa. Se
eu sair vestida de palhaça na rua, provavelmente algumas pessoas vão rir, zoar, falar
um monte de coisa, mas depois de 20 segundos elas vão seguir com suas vidas.

Preocupar-se demais com o que outras pessoas pensam pode se tornar uma pro-
fecia autorrealizável, porque a forma como pensamos começa a se tornar a maneira como nos comportamos. Recebo mensagens de seguidoras todos os dias me perguntando se elas são bonitas, se são gordas ou magras (algumas meninas ficam no
"nem gorda, nem magra" e não sabem se definir), se aparentam ser femininas ou
masculinas. Querem muito a minha opinião sobre elas , e essas mensagens sempre
vêm acompanhadas de falas do tipo:

"Disseram que eu sou assim. O que você acha?"

"Meu namorado disse que eu não fico bem de roupa curta, porque sou gorda. Você concorda?"

"Não aguento mais falarem que eu me pareço com a pessoa tal. O que eu faço?"

"Marquei um encontro com um cara do Tinder, mas não sei se vou. Será que ele vai me achar feia?"

"Está sendo insuportável ir para a faculdade, porque lá as pessoas me zoam. Me ajuda?"

"Não consigo fazer nada porque não quero que as pessoas me vejam. E agora?"

"Tenho uma festa de família no fim de semana e não sei como vou reagir aos comentá-rios gordofóbicos. Por favor, me ajuda?"

É o tempo inteiro. E infelizmente eu não consigo ajudar e responder a todo
mundo. O livro está aqui para cumprir esse papel.

Bom, não preciso lembrar do capítulo anterior, né? Você já sabe de onde vem tudo
isso. Mesmo assim, é insuportável lidar com essas "opiniões", muitas vezes nunca so-
licitadas. "Se conselho desse certo, ninguém daria de graça, vendia." Sou viciada em
clichês, eu sei, mas cá entre nós: não é à toa que este livro está sendo vendido.

O que as pessoas comentam, falam e apontam a seu respeito NÃO É VOCÊ. **Não é porque:**

- te disseram que você "parece lésbica" que a sua sexualidade vai ser definida a partir disso;
- o seu namorado te chamou de peluda que você é porca;
- destilaram ódio devido ao tamanho do seu corpo que você é um monstro desprezível;
- seus pais te proibiram de comer para não engordar que você é compulsiva;
- sua mãe falou que você não presta para nada que você não tem valor;
- o embuste te disse que ninguém nunca mais vai te amar como ele que você nunca mais será amada;
- vazou um nude seu que você é piranha.

Nada disso é você. Não te define. Deixe que deem adjetivos, deixe que falem... Foque em você agora. Só você pode decidir o que é bom para você, se conhecer o suficiente para descobrir do que gosta, como gosta e de que forma... Só você pode se dar o prazer de se amar, se aceitar e se rebelar contra o que te foi imposto.

Mas, minha querida, não vou negar, é difícil pra caramba. Não é um botão que você aperta e agora não se importa mais com nada. Talvez muitas coisas estejam entaladas há muito tempo, nunca ditas antes, traumas, complexos... Todas nós temos. E tem gente que passa por muito mais do que um julgamento, sofrendo também abuso psicológico, físico... Se o seu caso é mais para esse lado, recomendo que busque ajuda efetiva (delegacia da mulher, Centro de Valorização da Vida, polícia), mas, principalmente, faça algum tipo de terapia, seja com um especialista individualmente ou em grupo; se encontre com amigos e converse sobre isso com frequência...

Até porque, se no seu caso é necessário prestar queixa sobre agressão física, psicológica, ou se houve um ato de preconceito, muitas vezes precisamos digerir e entender o que aconteceu antes de denunciarmos. Voltaremos a falar disso. O ponto aqui é que vão surgir muitas questões existenciais na desconstrução, e apenas cuidando do seu psicológico dá para atingir outros níveis de conhecimento e consciência sobre si mesma.

E isso não tem fim. Autoconhecimento é para a vida toda. Quando você acha que está súper se conhecendo, vem a vida e te dá uma situação inesperada, que você não sabe como lidar, e te ensina uma coisa linda: que ela é dinâmica e nós temos tanto potencial, mas tanto potencial, que precisamos viver muito para descobri-lo, usá-lo... Só se vive vivendo.

Todos os caminhos me levaram ao body positive

Como estou falando da minha experiência no processo de desconstrução, esse ponto é superimportante. A vida não quis que eu viesse a me conectar apenas com a pauta do feminismo, entendendo que tudo o que eu passava era fruto de um sistema social, descobrir que o corpo é um produto, entender a pressão estética, a gordofobia... Não. Em 2015 eu conheci um termo que carrego comigo em meu ativismo até os dias atuais: body positive. Em inglês, significa corpo positivo. A tradução não é lá essas coisas — infelizmente na língua gringa soa muito mais interessante —, mas vamos ao que interessa.

Bom, quando fui pesquisar sobre body positive, encontrei alguns artigos internacionais em que a definição era bem simples: todos os corpos são bonitos. Seja você magra, gorda, negra, com estrias, celulite, seja lá como for o seu corpo, ele é bonito. Bastava focar no positivo e ignorar o negativo. Bom, parecia simples demais, mas eu não encontrava uma forma muito eficaz de apertar esse "botão" sozinha.

Decidi pensar e pesquisar mais sobre o tema, e, sem encontrar um discurso que me contemplasse, fiz o meu primeiro vídeo no YouTube sobre o tema — aliás, foi o primeiro no Brasil. Nesse vídeo, de julho de 2016, eu dou uma pincelada no conceito de body positive, tiro a parte de "ignorar os seus defeitos" e trago algumas dicas para colocar em prática. Eu repito essas dicas até hoje, mas o discurso ganhou mais forma.

Isso porque o Bernardo foi morar comigo. Como já falei, ele também é ativista e foi uma pessoa que me ajudou muito a entender a gordofobia. Eu vinha com o discurso body positive muito mais presente, e nossa "união" fez com que mais conceitos e conselhos surgissem. Duas mentes pensam melhor do que uma, ainda mais quando é para a mesma causa. Inicialmente, nossa maior questão era se o body positive não iria "apagar" a luta contra a gordofobia, já que, se todos os corpos são bonitos, nem todos eles têm acesso a tudo, né?

Antes de mais nada, precisamos entender a sociedade em que vivemos (o que fizemos no segundo capítulo) e que alguns grupos são mais invisibilizados do que outros. Falar em "positivo" e "negativo" tem a ver com a leitura que se faz de si mesma, o que você considera defeito e qualidade. Tem coisas em nós que vemos como positivas e muitas outras como negativas.

No movimento nós buscamos equidade entre os corpos, para que todos sejam tratados da mesma maneira, com os mesmos direitos. Por isso, quando se fala em body positive é preciso entender os dois papéis que temos e que caminham juntos, mas que precisam ser explicados separadamente:

> Bom, quando fui pesquisar sobre body positive, encontrei alguns artigos internacionais em que a definição era bem simples: todos os corpos são bonitos. Seja você magra, gorda, negra, com estrias, celulite, seja lá como for o seu corpo, ele é bonito.

- Papel individual: você entende como a sociedade funciona, se perdoa por muita coisa, para se de odiar, aprende a se amar, se aceitar, entender que o seu corpo é maravilhoso da maneira como ele é. Você muda o olhar que tinha sobre si mesma. Aqui você entende, também, que pode ser que passe por problemas que não são sociais, por exemplo: se você for uma mulher magra, tem muito mais acesso, direito e voz do que uma mulher gorda.
- O social: a partir da sua aceitação e de como você vê a sociedade, compreende que todos os corpos merecem acesso, todos os corpos são bonitos e devem ser tratados como iguais. Você muda o seu olhar em relação ao outro, as coisas em sua vida começam a ser diferentes e o convívio com outras pessoas te faz entender que, como Simone de Beauvoir disse, "Ser livre é querer o outro livre." Portanto, entender seus privilégios é muito necessário.

Se você não diferencia esses dois papéis, vai colocar no mesmo pé de igualdade uma mulher magra que prega o body positive e a gorda que fala a mesma coisa. Sim, são dois corpos que merecem respeito, são duas pessoas que podem falar sobre o assunto, mas dentro do olhar social sabemos que algumas pessoas são hierarquicamente superiores às outras porque se encontram em posições privilegiadas socialmente. Tem gente que, por sofrer com outras opressões além da pressão estética, vai ser lida de forma negativa pela sociedade, o que automaticamente a exclui, a torna invisível, inferior.

Se todos os corpos são bonitos, existe gente feia?

Não é à toa que, quando você tira os óculos que te fazem ver o mundo de forma padronizada, percebe que a beleza padrão tem uma aura de superioridade, intocável, a qual poucas pessoas têm acesso, apenas um seleto grupo consegue "chegar lá". Isso se torna o seu maior objetivo, porque você precisa fazer parte, se encaixar, atingir algo... inatingível. É como se precisássemos sempre ter alguém melhor do que nós para seguir com o fluxo da insatisfação.

Existem várias formas de beleza. "O corpo bonito é o que tem uma pessoa feliz dentro", dizem. Movimentos só existem porque a sociedade ainda não pensa de determinada maneira. Falar sobre isso, então, é um superdesafio, mas uma necessidade. E a questão aqui é desconstruir e entender o seguinte: existe gente feia?

Se sabemos definir o que é bonito, o feio é o oposto, né? Vamos elencar a beleza. Se o padrão de beleza diz que:

— ser branca é bonito, normal; ser negra é visto como feio;
— ser magra é bonito; ser gorda é ser feia, anormal;
— cabelo liso que presta; o cacheado/crespo é ruim;
— uma pele lisinha que é linda; a com estrias, celulite, espinhas é nojenta, asquerosa;
— pessoas jovens que são interessantes; ser mais velha é horrível.

E continua...

A partir disso, uma pessoa que está totalmente fora do padrão de beleza, às margens do que é visto como bonito, é feia. "Eu sei que todos os corpos são bonitos, mas tem gente que é feia para todo mundo", me falaram uma vez. É como se existisse um padrão de feiura.

O que a gente acha feio é o que está fora do que esperamos como beleza padrão. É o que está distante do que aprendemos a enxergar como bonito, belo. Mesmo assim temos alguns níveis de percepções de feiura diferentes: o que é bonito para mim pode ser feio para você e vice-versa. Ok, mas e a pessoa sobre a qual "todos concordam" ser feia? Ela é, de fato, feia?

Chega a ser meio bobo falar dessa forma, porque parecemos crianças tentando entender como são as coisas. Pois é, realmente estamos aprendendo e começando uma nova forma de pensar e agir socialmente. É tão beabá que podemos falar sobre isso com uma criança tranquilamente. Bom, continuemos.

Aí você me pergunta: "Mas como eu vou, do nada, achar bonito alguém que todo mundo acha feio?" Você não precisa e talvez nem vá achar todo mundo bonito, mas o esforço vai te fazer evoluir individualmente nessa questão e socialmente no quesito empatia. Um grande exemplo disso é o ódio que eu sofro na internet. Recebo constantemente comentários do tipo "lixo humano", "desprezível", "meu sonho é matar essa gorda", "gorda horrenda, se mata", "tão feia que não merece nem ser estuprada", daí para pior... Coisas bem pesadas e sempre relacionadas à minha aparência. Se você me acha bonita, saiba que esses milhares de pessoas me veem como uma aberração.

Falo isso para mostrar que a beleza tem o olhar individual: muita gente me acha feia. Mas olha quanta gente me acha bonita! Que paradoxo, né? Isso só mostra que "a beleza está nos olhos de quem vê". De fato, todos concordam. O que eu quero questionar e fixar o tempo todo é como as pessoas estão vendo; porque elas veem dessa forma. Não é para todo mundo me achar linda, mas entender por que não me acham. Estou me usando como exemplo porque é uma realidade pela qual eu passo, mas todos os meus amigos gordos ativistas na internet passam pela mesma dualidade em relação ao seu corpo, sua imagem...

"Eu não sinto tesão em homens gordos"; "Não me atraio por pessoas negras"; "Confesso que nunca fiquei com um homem mais baixo"; "Não gosto de homens sem barba"... Tudo vira "questão de gosto", né? O curioso é que, se gosto é algo tão individual, por que todo mundo continua gostando das mesmas coisas? Uma visão muito clara disso é como agimos no aplicativo de pegação/namoro Tinder. Se você nunca usou, vou te explicar. Eu me cadastro no aplicativo, coloco até 6 fotos, escrevo algo sobre mim, decido a idade mínima e máxima, o sexo que me atrai, a distância a que a pessoa se encontra e pronto: a tecnologia me mostra um monte de pessoas e eu aperto no coração verde para curtir ou no vermelho para pular.

Um dia eu me deparei com um conteúdo do canal *Muro Pequeno*, do meu amigo Murilo Araújo, em que ele falava sobre essa questão de gosto e citava o Tinder. Ele, como homem negro e gay, nunca dava like em homens negros, mesmo sendo ativista do movimento. É tão curioso isso porque, mesmo depois de falar sobre body positive pela primeira vez, em 2016, eu nunca tinha percebido como me comportava no aplicativo. Como está tudo baseado na imagem, você rapidamente curte ou pula alguém, sendo a sua ação 99% condicionada às fotos que vê. Eu percebi que fazia tudo muito rápido, vendo apenas uma imagem e já decidindo se queria pegar ou não, ou seja, era uma resposta automática do cérebro sobre o que "se gosta", o que se tem interesse. E o *match*, a combinação, só acontece quando o mesmo cara que você curtiu também te curte. Assim é aberto um chat para que vocês possam conversar.

Fiquei chocada quando fui olhar os meus *matches*. Eram apenas homens magros e brancos, seguindo bem aquele padrão de beleza masculino que está em alta no momento: alto, barbudo, branco, meio estilo lenhador. Eu combatia a gordofobia e não via beleza em homens gordos. "De

Falo isso para mostrar que a beleza tem o olhar individual: muita gente me acha feia. Mas olha quanta gente me acha bonita! Que paradoxo, né?

gorda na relação já basta eu"... Por tanto me odiar, não fazia ideia de que estava sendo gordofóbica ao nem cogitar, mesmo que numa ação rápida e automática, dar like num cara gordo. "Nunca fiquei com um cara negro, mas não me sinto atraída", eu já disse. Eu era contra todo tipo de preconceito e me vi racista. É racismo, puro e simples.

O meu comportamento no Tinder me mostrou que esse caminho de desconstrução é muito mais árduo do que parecia. Repetimos e reproduzimos ações automáticas que estão entranhadas em nossa história. Quando me dei conta disso, me senti uma fraude. Síndrome do impostor, sabe? E no próprio vídeo o Murilo deu uma solução: mudar o olhar. Boa! Iniciei um processo de analisar cada perfil, cada imagem, pensar por que não me sentia atraída e, só assim, decidia a ação a ser tomada. Mesmo que eu só quisesse dar uns beijos, algo casual, eu prestava atenção em mim, não na pessoa. Em como eu me sentia, o que me fazia querer ou não alguém. Se você não tem o aplicativo, ou é casada, tem namorado, e não quer usar, eu recomendaria criar uma conta de teste apenas para você fazer esse experimento.

"Como assim, Alexandra? Você está me dizendo agora que eu sou obrigada a gostar de todo tipo de corpo?" Não, amiga, você não é obrigada a nada. Mas eu nunca disse que seria fácil. Quem nunca viu um casal na rua em que a mulher é gorda e o cara magro e pensou "o que ele viu nela?", como se a menina gorda não fosse digna de amor e o homem fosse tão cego que precisa ser avisado para não permanecer no "erro"

Estive este ano em Brasília para participar de um bate-papo sobre corpo e feminismo. Depois do evento, um casal me abordou e contou sua história. A mulher é gorda e o homem é magro e cego. Ele me disse que algumas pessoas aproveitam quando ele está sozinho para "dar um toque" nele "revelando" que a namorada é gorda. "Você precisa saber disso. Ela é gorda viu?" "Eu sei. Qual o problema?", ele reponde todas as vezes. É praticamente um favor que essa pessoa está prestando, né? Avisando que a mulher não é bonita para ele. É cada coisa que a gente vê por aí...

Um filme que tentou retratar algo nesse nível foi *O amor é cego*, de 2001. Na história, Hal é um cara que aprendeu com o pai a namorar mulheres "perfeitas", magras, com peitos grandes. Um belo dia, ele tem um encontro inesperado com o guru Tony Robbins, que o hipnotiza, sem ele saber, para que ele veja beleza em mulheres que não considera bonitas.

Logo após a hipnose, Hal se apaixona por uma mulher e inicia a primeira relação verdadeiramente profunda de amor com alguém. Ele a vê magra, linda e a deseja demais. No

> O meu comportamento no Tinder me mostrou que esse caminho de desconstrução é muito mais árduo do que parecia. Repetimos e reproduzimos ações automáticas que estão entranhadas em nossa história.

entanto, ele só descobre no final que estava hipnotizado e que a mulher que ele estava namorando era, na verdade, gorda. Ele que não enxergava direito. A essa altura ele tem um choque, mas está tão apaixonado que "cede" e escolhe o amor. Lindo, né? Não fosse essa mensagem de que o cara é tão legal que até ficou com a gorda. E isso só aconteceu porque ele foi hipnotizado, porque talvez nunca houvesse oportunidade.

Estamos todos hipnotizados, só que ao contrário, e não dá para sair desse transe contando até três.

Outro caso de que me recordo aconteceu também no Tinder e também com um cara cego. Demos match e eu só soube que ele tinha deficiência na hora da conversa. Conversamos e eu perguntei como ele conseguia digitar, já que não enxergava. Ele disse que tinha um dispositivo instalado no celular que escrevia tudo o que ele falava. Legal, né? Parece, mas o papo durou só 5 minutos, porque ele me perguntou: "Como é a sua aparência?" Eu já era ativista na época, isso foi em 2016, e aproveitei para questionar por que aquilo importava para ele:

— Porque se você for gorda eu não quero — ele disse.

— Ué, mas você não enxerga. Que diferença faz como eu pareço? — perguntei, curiosa mesmo.

— Eu posso não ver, mas os outros sim.

Isso foi o suficiente para eu bloqueá-lo e entender que a beleza, muitas vezes, está nos olhos de quem vê, sim, mas nos olhos das outras pessoas. Lembra que eu falei que a beleza tem essa aura de superioridade regada a privilégios? A pessoa que você escolhe para estar com você, sua namorada, namorado, marido, mulher, é quase que um troféu social.

E, como sabemos, no caso das mulheres, o homem a vê como uma propriedade. Você acha mesmo que o troféu pode ser menos do que perfeito? Caso contrário, é uma vergonha. Não é à toa que é comum mulheres distantes do padrão de beleza reclamarem que são o "lanchinho da madrugada", quando o cara manda mensagem 3 da manhã apenas para sexo.

"Você devia aproveitar a chance de ter alguém querendo te comer."
"Para de enrolação e vem na minha casa."
"Pensei que por ser gorda seria mais fácil."
"Eu tenho namorada, mas com você é só diversão."
"Você acha mesmo que eu vou ficar de papinho com você se eu só quero sexo?"
"Já se olhou no espelho?"

Gostamos de sexo, mas queremos sair nas ruas também, ter direito a um relacionamento normal, andar de mãos dadas em público... Queremos os mesmos direitos que as outras pessoas têm, mas não com caras que falam essas coisas. Disso aí eu estou fora.

Existe gente feia? Se você acha alguém feio, é você que acha. Essa pessoa não é feia, é apenas alguém que você não acha bonito. Ninguém é feio, mas sabemos que quem está mais próximo do padrão tem mais privilégios, inclusive o de ser visto como bonito. E não se sinta mal se continuar achando alguém feio. Você é fruto disso tudo, nasceu nesse sistema, é normal. Mas comece a pensar, a partir de hoje, quando achar alguém feio: pergunte-se de onde vem isso.

Lembre-se: se a beleza está nos olhos de quem vê, talvez a pessoa que esteja vendo use óculos padronizados socialmente, enxergando o belo com o olhar socialmente construído. E o que tento fazer aqui é, justamente, retirar esses óculos do seu rosto para que você veja o mar de belezas diversas ao seu redor ;)

Beleza é um sentimento?

De acordo com uma pesquisa encomendada pela Unilever em 2014, 96% das mulheres no mundo todo se sentem feias. Exatamente, apenas 4% "ousam" afirmar que se sentem bonitas. Por que será?

Falamos sobre o que é considerado bonito e feio, mas o que é beleza senão um sentimento? Muitos pensadores dão pitacos sobre esse assunto, mas nada é melhor do que as frases: "eu me sinto feia" e "eu me sinto bonita". Com certeza você já pensou ou disse alguma delas. Você sente. Existem diversos conceitos para "sentimento", mas o que achei mais comum entre todos eles é o de que sentimento é uma ação do cérebro que determina de que forma se reage diante de um determinado acontecimento, ao recordar-se de uma lembrança ou de algo que ainda está por vir. São impulsos da sensibilidade que ditam se você vai sentir de forma positiva ou negativa consigo mesma.

Por exemplo: uma situação pela qual todas nós mulheres já passamos um dia é a de "meu deus, eu não tenho uma blusinha pra sair". Aí fica naquela de experimentar diversas peças e nada cai bem, nem a roupa nova, nada está bom, o quarto fica um caos, você passa maquiagem e se sente ainda pior, muitas vezes desistindo de sair de casa por se sentir feia.

A última vez que eu me senti feia foi quando cortei o cabelo. Eu estava alguns dias na bad e decidi mudar para me sentir melhor. Achei que pintar e cortar o cabelo traria novos ares. Realmente, fazer algo diferente, sair da mesmice, é uma atitude que pode ajudar. Pois cortei o cabelo e continuei me sentindo mal. Fiquei ainda três dias me achando o cocô do cavalo do bandido, mesmo com todos os meus amigos e milhares de likes e comentários na internet dizendo o contrário. "Linda", "maravilhosa", "ícone da minha vida", "quer beleza, @?"... Falaram um monte, mas nada disso mudou a forma como eu me sentia.

Porque um sentimento não dura dois segundos, ele precisa ser entendido, é repleto de emoções. Não é porque falaram que eu sou linda que eu me sinto linda. Sei que para muita gente um elogio pode salvar a vida, mas ter validação alheia não muda em nada a forma como você realmente se sente. Isso precisa vir de dentro, de você. Eu precisei passar por uns dias de bad para entender o que estava acontecendo e, a partir disso, mudar o foco.

Se são sentimentos que nos mostram se estamos bonitas ou feias e se produzimos sentimentos a partir da forma como levamos a vida, nossos hábitos, as pessoas que convivem com a gente, talvez a sua feiura seja concreta no olhar de outra pessoa, que reforça isso em você. Talvez você só seja feia para aquele grupinho de amigas do estágio, que só querem saber de comentar sobre o corpo alheio; ou para as meninas da academia, que nunca estão satisfeitas com o formato do seu corpo; até mesmo em casa, para a sua mãe, que a aconselha a perder alguns quilos. Seja a situação que for, deixamos os outros definirem os nossos sentimentos. E só você pode dizer e entender como se sente. É algo muito íntimo..

Você pode discordar de mim e pensar "mas eu me sinto bem quando alguém faz o contrário e me elogia, me chama de bonita, linda". Se você tem algum histórico de rejeição na infância ou alguma situação bem clara de rejeição na sua vida, fica até mais fácil entender de onde vem isso. Quando eu tinha 15 anos, um menino que morava no meu condomínio — e por quem eu era apaixonadíssima — marcou de se encontrar comigo na garagem. Estávamos sozinhos, eu estava realizando meu sonho de adolescente de finalmente beijar pela primeira vez. Ele não falou nada. Se aproximou da minha boca e disse: "Não, nem por um Big Mac", e ainda riu, comentando que eu estava de olhos fechados e com "biquinho", pronta para beijar. Abri os olhos. Saiu outro menino de trás do muro e eles começaram a rir. "Seu frouxo, perdeu a aposta." E os dois foram embora.

Essa situação marcou tanto que eu me recordo dela até hoje. Naquela época eu entendi que era tão feia e tão sem valor que nem um sanduíche do Big Mac pagaria um beijo meu. Você deve imaginar o quanto isso me torturou por longos anos. Até porque aconteceram outras e outras e outras vezes. Se você tem alguma história parecida para contar, em que foi claramente rejeitada, já sabe de onde vem essa necessidade de aprovação alheia.

Se por acaso não vem uma lembrança à sua mente, me recorda uma coisa: se você está fora do padrão, é "feia" de alguma forma, você é socialmente rejeitada.

Rejeitada pelas lojas de roupa, que não têm o seu tamanho; rejeitada pelos homens, que não sentem interesse em você; rejeitada pela família, que acha que você precisa "melhorar"; rejeitada em um emprego; rejeitada em um grupinho da faculdade... A sociedade te expulsa, te rejeita. É isso que destrói a sua autoestima, e não é à toa que autoestima é uma pauta importantíssima dentro do body positive.

Eu não vou curar o seu sentimento de rejeição. Isso você só faz com um terapeuta, até porque às vezes as feridas são muito profundas e demandam muitas sessões até que se encontre a verdadeira origem. No entanto, posso te ajudar a entender que provavelmente você se sente feia porque tudo ao seu redor te diz que você é feia, e você entra nesse ciclo de ódio-próprio interminável. Você aprendeu a se comparar, aprendeu a se colocar em detrimento de outro alguém, a ser inferior.

E vou te falar uma coisa: sabe aquele número de 96% de mulheres que se acham feias? Tem muita mulher padrão no meio. Eu recebo inúmeras mensagens diariamente de mulheres que começam assim: "eu sei que sou magra e estou próxima do padrão, mas odeio os meus seios pequenos"; "eu entendo que sou socialmente aceita, mas me sinto um monstro"; "eu não sei mais como fazer para me sentir bem, mesmo com todo mundo dizendo que eu sou bonita". É muito comum. Veja a vida das celebridades, o quanto elas mudam, retocam, aplicam, tiram o tempo todo... A feiura é um sentimento que pertence a todas as mulheres, em maior ou menor escala de emoções, mas isso é inquestionável.

Então, minha querida, entenda que, mesmo que não mude nada em sua aparência, você pode se sentir bonita hoje e feia amanhã, com o mesmo corpo, o mesmo rosto, as mesmas roupas no armário, a mesma quantidade de grana na conta do banco. É você, sempre foi você. Não há nada mais íntimo do que a forma como nos sentimos. Quem sente é você. Quem vive é você. Não deixe que os outros te digam como deve se sentir. E é normal: haverá dias bons e dias ruins e você vai passar por todos eles.

Calma. Não se preocupe que ainda teremos um capítulo inteiro com dicas práticas que vão te ajudar a colocar tudo isso para funcionar.

Body positive × conformismo

A primeira coisa que tentam falar para derrubar o movimento body positive é que ele não é de aceitação, mas de conformismo. "Ah, você não conseguiu emagrecer, fracassou com dietas e resolveu agora gostar de ser gorda, né? Fracassada." Aceitação corporal não tem nada, mas nada a ver mesmo com conformismo. Vamos ao dicionário:

conformismo
substantivo masculino

1.
atitude ou tendência de se aceitar uma situação incômoda ou desfavorável sem questionamento nem luta; resignação, passividade.

2.
pejorativo / pejorativamente depreciativo
tendência ou atitude de se acatar passivamente o modo de agir e de pensar da maioria do grupo em que se vive; modo de agir da pessoa que aceita, sem discutir, normas ou valores preestabelecidos.

Aceitação corporal não é se aceitar passivamente, pensar como a maioria, seguir o fluxo. Viver em conformismo é como está vivendo agora alguém que não entende que o corpo é um produto, que a sociedade só quer te extorquir até não poder mais para você se encaixar em algo inalcançável. É continuar agindo, fazendo e pensando as mesmas coisas mesmo sabendo que isso te faz mal, te machuca. Conformismo é preferir continuar se odiando a lutar para amar o seu corpo, você mesma, e enxergar a beleza além do padrão, além do que te ensinaram, além do esperado. É difícil pra caramba, amiga, é difícil demais.

E essa ideia de conformismo vem ligada ao "fracasso" de não conseguir "chegar lá". Já falamos sobre isso. Não é um fracasso não conseguir emagrecer, até porque o que é conseguir emagrecer? Ter o corpo da Gisele Bündchen? Se uma pessoa emagrece 20 kg e nem assim está com um corpo padrão, ela chegou lá? O que é

> **Conformismo é preferir continuar se odiando a lutar para amar o seu corpo, você mesma, e enxergar a beleza além do padrão, além do que te ensinaram, além do esperado. É difícil pra caramba, amiga, é difícil demais.**

sucesso, gente? Já sabemos como a sociedade entende isso, mas e você? O que é sucesso e fracasso para você?

Já aceitação, no dicionário, é aceitar aquilo que lhe foi ofertado. Receber de bom grado o que te deram. O seu corpo lhe foi ofertado, te deram ele. E o que você fez com ele até agora senão tentar modificá-lo para ser totalmente diferente do modelo que lhe foi entregue? Não ficou satisfeita com o produto e quis trocá-lo? Quantas vezes mais você vai tentar trocar esse produto? Quando vai ficar tranquila e satisfeita com suas compras e admirar suas funções, atributos, qualidades, imagem... Será que um dia você vai entender que essas "trocas" só danificam ainda mais a engrenagem dele? A cada vez que você se odeia, está minando a sua saúde mental a tal ponto que chega uma hora em que basta, sabe? Bem, se você vive isso, sabe do que estou falando.

Aceitar-se não é conformismo, é olhar para si mesma todos os dias e ver que você tem valores, capacidades e uma vida inteira pela frente. A necessidade de se aceitar é quase que uma prerrogativa para começar a viver.

Consciência corporal

Ter consciência corporal aqui, nesse caso, é entender a história do seu corpo. Você vai passar a vida inteira dentro desse mesmo corpo. Seu corpo vai seguir com você dentro dele até o fim. Se você não tem uma relação boa com você, com o seu corpo, como vai ser essa vida? Você não é obrigada a se aceitar e se amar, mas é quase uma necessidade que você se olhe com carinho e afeto. Porque se aceitar é perceber a realidade. Sair do mundo da fantasia do "quando eu chegar lá" eu começo a viver. E não vive nunca. Prefere passar a vida inteira se odiando, lutando contra si mesma ou tentando se olhar de outra forma, se amar, se aceitar?

É importante ter consciência do corpo físico, de que você tem órgãos, membros, pele, sentidos... Parece aquele papo zen, e vou te falar: o povo good vibes está certíssimo. A gente se ignora tanto que esquece do corpo que recebe, de agradecer por termos nossas funções em dia, por funcionarmos, saca? Faz parte do body positive te reconectar com quem você é, se tocando, se percebendo, praticando o autocuidado... Você não é uma máquina, meu amor. É um corpo humano cheio de necessidades físicas, biológicas e emocionais. Eu falei que esse processo tem a ver com autoconhecimento, né? E conhecer o seu corpo faz parte.

FAQ/Perguntas mais frequentes sobre body positive

Eu pedi nas minhas redes sociais que as pessoas fizessem perguntas sobre body positive para respondê-las aqui. Algumas incluem uma dica ou outra, mas as dicas práticas MESMO estão no próximo capítulo. Segure essa ansiedade e leia na ordem certa para depois não reclamar que não está conseguindo.

O que é body positive?

Um movimento que fala sobre aceitação corporal e acredita que todos os corpos são bonitos, merecem respeito e acesso. Buscamos equidade entre os corpos, para que todos sejam tratados da mesma maneira, com os mesmos direitos.

Qual a maior dificuldade em ser body positive?

A sociedade não quer que você se aceite, e você vive nela.

Body positive é só para gente gorda? E só para mulher?

Não, você não precisa ser gorda; precisa ser humano. É para todos, até para pessoas consideradas dentro do padrão. Como vimos, apenas 4% das mulheres do mundo se acham bonitas. É para todos, inclusive homens.

Posso ser body positive mesmo querendo emagrecer?

Sim, é claro. Não tem problema algum em querer emagrecer; queremos apenas que você reflita se essa vontade de mudar é focada no externo ou em você. Não pense que você se tornou uma fraude, uma hipócrita, por mudar.

Como eu consigo saber se a vontade que eu tenho de mudar vem de mim ou do externo?

É simples: se você acha que essa mudança vai te beneficiar em alguma situação ou com alguém, é externa. Se você sente que a mudança vai fazer você se sentir mais bonita diante de alguém, é externa. Se o seu desejo é mudar para ser mais aceita, é externo. Pense em coisas que você continuaria fazendo por si mesma mesmo se ninguém fosse ver, se estivesse dentro de uma bolha. Como você se cuidaria? Mudaria o cabelo? Faria cirurgia? Continuaria com dietas? Sabemos que não vivemos numa bolha, mas em sociedade, e essa reflexão pode te ajudar.

O que seria uma vontade interna?

Isso é muito difícil de responder, pois é extremamente individual. E somos fruto do externo, fazendo com que nunca saibamos discernir. Quer uma dica? Se o que você quer fazer por si mesmo é algo que vai te fazer bem, está valendo. Se você acha que emagrecer vai te fazer bem, emagreça, mas, por favor, faça de forma diferente.

Qual seria o jeito certo de emagrecer?

Existe um jeito certo de emagrecer? Nunca vamos recomendar que alguém faça nada, nem emagreça, nem engorde, nem mude nada. No entanto, já existem diversos profissionais que estão aderindo ao body positive e tratando o corpo da paciente e não o tamanho que ele "tem que ter". Elas não vão te ensinar a se amar, vão te ajudar a não se odiar.

O que eu faço quando os médicos me mandam perder peso?

Trocar de médico ou ir a alguém que seja previamente recomendado. Se for o caso de só ter aquele especialista, perguntar por que ele quer que você emagreça. Muitas vezes os médicos recomendam "faça uma boa alimentação e exercícios". Isso é recomendado para qualquer pessoa. É saudável. E fazer atividade física e comer bem não tem nada a ver com perder peso. Se puder, fale sobre essa abordagem e argumente. Pode ser que ele não concorde com você. Ok. Peça apenas que te respeite e trate o que precisa ser tratado.

Existe um limite no body positive (por exemplo, se a pessoa é muito gorda, ela não tem que perder peso?)

Se a pessoa precisa mudar ou não, se aceitar, se amar e se livrar de padrões é o primeiro passo. E ninguém tem nada a ver com a vida de ninguém; preocupe-se com a sua.

É normal que eu ache alguém feio?

Sim, é normal, porque você aprendeu o que é bonito e o que é feio desde pequena. No entanto, não basta se aceitar e continuar julgando as pessoas pela aparência, fazendo com os outros o que você não quer que façam com você. Já ouviu falar em viver o que se prega e dar exemplo? É bem por aí.

> Muitas vezes os médicos recomendam "faça uma boa alimentação e exercícios". Isso é recomendado para qualquer pessoa. É saudável. E fazer atividade física e comer bem não tem nada a ver com perder peso.

Como eu faço para me aceitar?

É um processo muito subjetivo. Não existe um passo a passo, mas a primeira coisa que você precisa entender é que é fruto de um sistema social que hierarquiza as pessoas pela aparência, depois entender quem é você no meio disso tudo, se conhecer e começar a se tratar com mais carinho e amor.

Eu ainda vou continuar tendo insatisfações?

Sim, a todo momento. O que muda é a forma como você as enxerga, e, com a mudança de hábitos, rotina e convívio, isso tende a ir diminuindo. Mas elas sempre estarão ali, à sua espera numa propaganda, nas revistas, na televisão, no Instagram, em todos os lugares.

Se surgem estrias novas no meu corpo e eu não gosto delas, significa que eu não me amo?

Não. Essas estrias fazem parte da história do seu corpo. E não dá para amar tudo. Pense numa pessoa que você ama muito. Você sabe tudo nela que te faz amá-la, mas a conhece o suficiente para listar coisinhas de que não gosta nela, né? Mesmo assim ela permanece na sua vida. Às vezes você só vai aprender a lidar com algo, mesmo que não ame. Faz parte. Não ache que o body positive é um mundo de fantasias em que do nada você ama tudo em você. Muitas vezes você vai conviver com algo que não gosta e aprender a ressignificar isso.

Para ser body positive eu tenho que parar de me depilar, passar maquiagem ou me arrumar sempre?

Não. Fizeram muito essa pergunta, de formas diferentes. O movimento body positive não é juntar umas pessoas numa tribo e criar uma sociedade alternativa em que eu nunca mais vou nem tomar banho, sabe? É muito mais simples e menos complexo do que imaginam. Pelo contrário, com o body positive você tem mais vontade de ser você e fazer coisas boas pelo seu corpo, por você como um todo. Se você gosta de se depilar, passar maquiagem e se arrumar, por que pararia de fazer isso, gente? Tem a ver com saúde mental, antes de tudo, lembre-se.

> Essas estrias fazem parte da história do seu corpo. E não dá para amar tudo. Pense numa pessoa que você ama muito. Você sabe tudo nela que te faz amá-la, mas a conhece o suficiente para listar coisinhas de que não gosta nela, né?

Ser body positive significa que eu posso comer toda a besteira que eu quiser e engordar livremente?

Ninguém pode te dizer o que fazer. Você sempre teve o direito de comer besteira e engordar, se assim quiser. Mas em momento nenhum o movimento faz apologia da obesidade ou indica que se coma mal ou seja gordo. Isso é uma escolha individual. Me amar, me aceitar e parar de fazer dieta não me torna uma pessoa que come besteira, me torna uma pessoa livre. Desde que parei com as dietas, estou há três anos sem perder roupas nem alterar o peso.

Dá para ser body positive mesmo se eu tiver que fazer um tratamento para diabetes ou hipertensão?

Ser body positive não tem nada a ver com deixar de lado a sua saúde. Pelo contrário, levar uma vida com um olhar positivo e carinhoso sobre o seu corpo só te faz se cuidar ainda mais. Pare de confundir body positive com "vida loka vô comer 3 burgao e tomar refrigerante na veia". Tem a ver com se amar, se aceitar e ser feliz com o seu corpo. Ninguém nunca falou para você se aceitar e iniciar um processo de autodestruição; ao contrário, é um processo de busca do amor-próprio. Cuide da sua hipertensão, cuide da sua diabetes, cuide de você.

Como agir com pessoas que vivem te indicando dietas e métodos para emagrecer?

Diga "não é porque eu não sou magra que estou querendo perder peso. Não estou interessada, obrigada." Se te perguntarem o motivo, responda. Quem sabe isso não abra uma brecha e mude todo o teor da conversa?

As pessoas gordas gostam de ser gordas ou só estão conformadas por não conseguirem emagrecer?

Eu não posso responder por todas as pessoas gordas e como elas se sentem. Posso falar o que vivo na pele e sobre as pessoas que estão no meu convívio. Você gostaria de não encontrar roupas em lojas de shopping, de não ser desejada, não ter acesso a espaços públicos, de ser deixada de lado, tratada como um animal? Ninguém gosta de ter seus direitos repreendidos, mas isso não quer dizer que eu não ame o meu corpo gordo.

Então por que você não emagrece?

Porque eu não quero, não sinto necessidade depois de passar a vida inteira me matando por algo que eu descobri ser inatingível, uma utopia louca, na qual mesmo as pessoas que estão no padrão "perfeito" estão e seguem insatisfeitas. Por isso, encontrei uma forma maravilhosa de viver a minha vida sem precisar me adequar a um padrão para ser aceita. E, se um dia eu emagrecer, está tudo bem também.

O que dizer para alguém que não acredita que você é feliz com seu corpo?

Não precisa dizer nada; é só viver feliz com o seu corpo. É normal que isso incomode as pessoas, mas elas não têm que exigir uma explicação. Viva a sua vida.

O body positive se preocupa com a saúde mental?

Sim, pois faz parte do seu corpo, de quem você é. Graças à insatisfação corporal, casos de anorexia, bulimia, compulsão, ansiedade, automutilação, depressão e tendências suicidas surgem com mais força ainda. Por isso, é impossível iniciar um processo de aceitação sem autoconhecimento, sem cuidar da sua inteligência emocional. Procurar ajuda é sempre uma indicação pertinente, seja com psicólogo ou psiquiatra. Todas as dicas são relacionadas a ações que necessitam de saúde mental em alta para continuar. Corpo livre, mente livre. Sempre.

Crianças também podem ser body positive? Como falar de body positive com os pequenos?

Se você tiver a oportunidade de criar uma criança desde pequena com o olhar body positive, ela sofrerá muito menos do que nós. Falar de body positive com as crianças vai muito mais do que você passa para ela da sua relação com o seu corpo, com a sua vida. Exemplo: se a menina te vê reclamando do corpo, chamando outras pessoas de "lindas", ou ela mesma, talvez ela ache que existe um problema aí. Isso é algo que cada mãe/pai vai viver na prática, pois cada criança demanda algo diferente. Em suma, viver uma vida de aceitação vai transmitir isso para os seus.

Você é muito privilegiada

Você precisa entender quão privilegiada é por ter acesso a esse assunto. Infelizmente, ser body positive não é algo que chega para todo mundo. Como falamos que existem grupos que estão em desvantagem em relação a outros na sociedade, existe uma galera que não faz nem ideia da pauta de aceitação, porque está muito mais preocupada em colocar alimento à mesa. Não é um assunto falado na grande massa, apenas na internet e olhe lá, portanto ainda não é uma realidade em periferias e comunidades. Dê valor ao conhecimento que você tem em mãos e, se puder, passe para outras pessoas! Aceitação é algo que contagia, é criar um ambiente seguro em relação ao seu corpo e à sua vida. Não tem nada de errado em ter esse privilégio, só tenha noção disso e compartilhe com mais gente!

> Se você tiver a oportunidade de criar uma criança desde pequena com o olhar body positive, ela sofrerá muito menos do que nós. Falar de body positive com as crianças vai muito mais do que você passa para ela da sua relação com o seu corpo, com a sua vida.

4
COLOCANDO EM PRÁTICA O AMOR-PRÓPRIO

É agora que começa a parte que você tanto esperava: dicas reflexivas, práticas e com muita vivência para tirar esse projeto de aceitação do papel e começar a experimentar tudo! Sim, eu imagino a sua ansiedade, amiga. Eu não ouso criar um passo a passo, porque é impossível encadear um caminho de desconstrução em busca do amor-próprio. É uma mudança total de vida. Talvez você comece pelas amizades, fazendo terapia, ou parando de seguir quem te faz mal... Existem diversas formas de começar, mas o importante é dar o play.

1) Você não pode dar aquilo que não tem

"Ame o próximo como a ti mesmo", diz a Bíblia. Quero usar essa frase para falar sobre amor-próprio. Nos capítulos anteriores eu disse que vivia uma vida com ódio internalizado, o ódio-próprio, em que eu nadava naquele mar de insatisfações, me machucando, acabando comigo dia após dia... Bem, se eu tenho ódio dentro de mim, o que posso dar aos outros senão ódio? Sim, o ódio é o amor intoxicado, mas faz mal. Como eu posso amar alguém se não consigo sentir isso por mim mesma? Como saber o que é amor de verdade se nunca, de fato, senti por mim?

Alguns vão dizer que são amores diferentes, individuais. A única coisa que eu sei é que amor, primeiro, é o próprio; depois, o recíproco. Vamos lá, então: quando você ama alguém, o que sente? Alegria, paz, reciprocidade, conforto, se sente segura... Você sente essas coisas por si mesma? Como você se sente a seu respeito? Você gasta tempo, cuida, observa e dá atenção para si mesma?

Só quando encontramos o amor pela nossa essência, por quem somos de verdade, conseguimos nos relacionar de verdade com outras pessoas, sejam amizades ou romances. Porque se torna impossível viver uma relação saudável com alguém antes que você termine o relacionamento abusivo que tem consigo mesma.

Já andou de avião? Na decolagem, as aeromoças passam todo o protocolo de segurança em casos de emergência. Existem uns compartimentos no teto em cima de cada assento que contêm uma máscara de oxigênio. Elas só caem em situações emergenciais, e as dicas são as seguintes: "Se precisar auxiliar alguém, coloque primeiro em você e depois na pessoa". Parece egoísta? Não. Se eu não tenho como respirar, não posso ajudar ninguém. Se eu não cuido de mim, não posso cuidar de ninguém. Se eu não me amo, a quem vou amar verdadeiramente?

2) Pare de se comparar com outras mulheres

Nós nos comparamos muito com as outras pessoas porque vemos nelas algo que queríamos ser ou ter. A comparação é a raiz da insatisfação, e você vai permanecer nesse estado constante de infelicidade sobre si mesma. Seja ao vivo, se comparando com amigas, irmãs ou primas; ou na internet, se comparando com blogueiras, musas fitness e celebridades, que mostram a vida editada, apenas a parte "boa". Não é à toa que o Instagram é uma rede social nociva à saúde mental. "A grama do vizinho é mais verde", essa é a lógica que levamos até hoje. Quando você se compara, acha que a vida da pessoa é perfeita e a sua, um lixo.

Talvez esse "olhar para o outro" diga muito sobre a falta de vontade de olhar para si mesma. Miramos no outro para criticar, para invejar, desejar, se comparar... Se não é legal eu me comparar com uma pessoa que está mal para me sentir bem, porque você se compara a uma pessoa para se sentir mal? A comparação tem um limiar tênue entre admiração e

> **Nós nos comparamos muito com as outras pessoas porque vemos nelas algo que queríamos ser ou ter. A comparação é a raiz da insatisfação, e você vai permanecer nesse estado constante de infelicidade sobre si mesma.**

inveja, e este é um sentimento 100% ruim. Pode ser que você admire alguém e se sinta motivada por ela, mas talvez "motivação", para você, seja alguém que te faz lembrar o tempo inteiro como você está mal.

Lembro de que, quando eu queria emagrecer, na faixa dos 22 anos, pesquisava na internet coisas do tipo "por que toda gorda é nojenta". Eu amava ler tudo o que falavam, como repudiavam e tinham asco de gente gorda, porque assim eu me machucava mais, me odiava mais, e isso alimentava o meu ódio-próprio. Eu tinha plena consciência de que aquilo me faria mal e fazia, e mesmo assim achava que me incentivava a continuar tentando "chegar lá". **Pare de se odiar**, amiga.

Mirando no outro você não chega a lugar algum. Ninguém é perfeito, ninguém tem uma vida perfeita. Lembra quando falamos de rivalidade feminina, que nos foi ensinada socialmente e coloca as mulheres em constante disputa umas com às outras? Então, se comparar é isso, ter uma relação de amor e ódio com a sua "rival". Se você tem uma amiga no trabalho que tem um cabelo lindo, brilhoso, comprido e isso te faz desejar um cabelo como o dela, a pergunta aqui é: por que você não gosta do seu cabelo? O que no seu cabelo que é feio, diferente, por que o dela é invejável? Desconstruir o seu olhar sobre o seu próprio corpo vai te fazer entender que todas passamos por dificuldades e vivemos num oceano de insatisfações.

Talvez a sua amiga com quem você se compara seja uma mulher que está precisando se aceitar tanto quanto você, e isso nunca foi discutido. Que tal ressignificar o seu olhar para a comparação e, como nesse caso da amiga do trabalho, em vez de pensar "nossa, queria ter esse cabelo", pensar "que cabelo lindo, mas e o meu? Por que eu não gosto dele?" A sua amiga não tem culpa por você se comparar com ela, ela não tem culpa de ter algo "desejável" por você. Essa comparação só fala da sua insatisfação.

3) Reconheça pessoas tóxicas em sua vida

Mas nem toda amiga é "ingênua". Tem gente que gosta, sim, de se sentir superior e inferiorizar os outros. Lembro de uma amiga que eu tinha que era magra, bem padrão. Ela já tinha feito algumas cirurgias e estava com o corpo "perfeito". Eu nunca me comparei com ela, mas um dia estávamos na minha casa nos arrumando para sair e eu já estava começando o meu processo de desconstrução. Foi em 2015 isso, e eu tinha colocado um cropped, uma blusa que mostra a barriga. Nisso, ela coloca uma calça, olha para o espelho e fala: "Nossa, eu estou imensa de gorda. Que nojo." Ela devia pesar uns 47 kg, por aí, com 1, 65 m. Bem magra e cheia de curvas. Eu tirei o cropped.

Algumas pessoas nos machucam mesmo. Pense nas pessoas que te fazem mal não porque você se compara com elas, mas porque elas te deixam para baixo. Sabe quando você sai de perto da pessoa e se sente sugada energeticamente, como se as suas forças tivessem ido embora? Ou a amiga que te diz o tempo inteiro como comer, de que forma comer, como se vestir... Pode ser a sua mãe, que te enche todos os dias para fazer dieta, comenta sobre o seu corpo. Ou então aquele namorado que te mantém em alerta para não engordar, senão ele te larga.

Quando estamos em uma relação tóxica, ela beira o abuso. Essa é a parte do processo que eu falei que vai te trazer solidão, pois algumas dessas pessoas precisam sair da sua vida. É óbvio que não estou falando para você sair de perto dos seus pais, ainda mais se vocês moram na mesma casa. Comece pelas pessoas de fora, pois a família é um assunto para outra dica.

Comece observando como você se sente perto de determinadas pessoas do seu convívio e perceba quem te faz mal. A partir daí, você terá duas opções: conversar ou acabar a amizade/namoro. "Como se fosse fácil", você deve ter pensado. É, não é nada fácil mesmo. Se essa pessoa quiser conversar, se abrir ao diálogo e se valer a pena o esforço, fale para ela as coisas que te machucam, te fazem mal, e, se houver uma vontade de fazer tudo dar certo, um respeito, continue com essa pessoa em sua vida. Talvez ela só precise desse alerta e se interesse por esse "lance de aceitação".

> **Mas nem toda amiga é "ingênua". Tem gente que gosta, sim, de se sentir superior e inferiorizar os outros.**

Já se não houver uma conversa ou não valer o esforço, a solução é tirá-la da sua vida. Eu sou bem drástica quando se trata desse assunto, mas é uma coisa minha. Eu tiro mesmo, paro de seguir, apago os contatos, não quero mais saber. Serve para crush, ex, amigas, colegas... Aliás, "colega" é uma palavra interessante. Porque, quando a pessoa é amiga de verdade, parceira mesmo, ela pode até ser tóxica com você, mas há uma conversa e as coisas melhoram.

Tenho amigas em minha vida e temos uma liberdade tamanha, devido à intimidade, de falar uma na cara da outra se algo não está legal, se mandou mal, se não está me fazendo bem... Vivi isso com duas amigas no ano passado e levou um tempo até que a gente se entendesse novamente, mas valeu todo o esforço de horas e horas de conversas. São minhas irmãs mesmo.

Parei para refletir sobre as pessoas que eu "limei" da minha vida, e tive uma surpresa quando percebi que a maioria delas era "colega". Uma conhecida, uma pessoa que eu achei que fosse amiga, uma amiga de infância que não tinha mais nada em comum comigo... Todas eram relações superficiais, nada profundo. O tóxico pode estar no que é superficial, mas te atinge de forma profunda. Fique ligada!

4) Pare de se comparar com a sua versão anterior

Já que a mulher adulta faz, em média, 7 dietas ao longo da vida, provavelmente você já mudou bastante o formato do seu corpo. Eu emagreci e engordei incontáveis vezes, fiz lipoescultura, fiquei magra, fiquei gostosa. Meu corpo sobreviveu à história de insatisfação gigante e hoje ele traz marcas e sequelas disso tudo: estrias, fibrose (depois da lipo), marcas escuras da cânula da lipo, cicatrizes... Tenho um vasto material de corpos que já tive na minha memória. Muitas mulheres passam por isso e é muito comum com mães, que veem seus corpos mudando e não sabem lidar.

No filme *Embrace*, de 2016, TarynBrumfitt conta sua história. Ela, que mora na Austrália, sempre foi uma mulher magra, mas, depois de três filhos, seu corpo mudou muito. O longa mostra sua história de insatisfação corporal, e chega um momento em que ela decide sacrificar sua vida familiar e mudar a alimentação por completo, iniciar uma rotina de exercícios puxados e, assim, passa a ser fisiculturista. Magra, sarada e musculosa, ela

> **Entenda uma coisa: o seu corpo vai continuar mudando, e, ao longo do tempo, rugas vão surgindo, linhas de expressão, flacidez... Tudo isso faz parte da vida, é o processo natural das coisas.**

decide participar de um concurso, só de biquíni, exibindo o corpo tão desejado. Taryn conta que no camarim do concurso, diante de mulheres perfeitas, ela escuta reclamações do tipo "eu poderia cortar essa parte do meu corpo", "seria ótimo fazer uma lipo para secar essa gordura", "eu odeio o meu corpo"... Eram mulheres que exibiam tudo o que mais se desejava: barriga negativa, cintura fina, pernas torneadas, sem gordura alguma.

Assim, ela percebeu que, se até essas mulheres estão insatisfeitas, quando ela se sentiria bem consigo mesma? Foi dessa maneira que ela parou com aquela rotina ensandecida e iniciou seu processo de aceitação. Taryn decidiu amar o seu próprio corpo e viver uma vida feliz, mostrando que uma pessoa fora do padrão se exercita, come bem e vive perfeitamente bem sem tentar se encaixar em nada. Diante dessa vida maravilhosa, ela decide postar em sua conta do Facebook uma foto de antes e depois reversa: o antes, de biquíni, e o depois, pelada, com suas gordurinhas todas aparecendo, sem maquiagem e bem natural. Viralizou. Só se falava dessa foto na internet, celebridades compartilharam e ela se tornou conhecida no mundo inteiro.

O filme é sobre isso e traz a mensagem de uma mulher que chegou a todos os estágios de corpos, mostrando como ela conseguiu se sentir bem consigo mesma. Além disso, explora outras vivências e mostra, ao redor do mundo, que se amar e se aceitar pode acontecer de formas diferentes e que ainda é algo muito novo.

Recomendo que você assista a esse longa, porque eu não sou mãe e não posso falar sobre algo que nunca vivi. Mas, assim como Taryn, percebi uma coisa: mesmo que eu tenha saudade da época em que minha pele era lisinha, eu era bem mais magra e cabia em algumas roupas das lojas de departamentos, eu estava tão infeliz, tão mal da cabeça, que aquilo não valia de nada. E sinceramente eu não sei se ter aquele corpo hoje seria solução para alguma coisa ou me deixaria mais feliz comigo mesma. Eu sei o que eu vivo hoje, e o que eu vivo é amor-próprio.

Entenda uma coisa: o seu corpo vai continuar mudando, e, ao longo do tempo, rugas vão surgindo, linhas de expressão, flacidez... Tudo isso faz parte da vida, é o processo natural das coisas. Pode usar seu creme, fazer o procedimento que quiser, mas aceitar o envelhecimento é a única saída para conseguir viver em paz, porque você vai envelhecer, meu bem.

5) Como lidar com uma família que não te aceita e pode ser tóxica

Essa é uma dica extremamente pessoal, e eu espero que você tire algo de bom na vivência que vou contar. Eu sou a primogênita da minha família, primeira neta, primeira filha, primeira sobrinha... Todas as atenções vieram para mim quando pequena, já que fui muito desejada (meus pais tentaram durante 4 anos) e, consequentemente, bem mimada. Minha irmã nasceu e fui eu que escolhi seu nome, Beatriz, 3 anos e meio mais nova. Crescemos meninas livres, cercada por uma verdadeira muralha verde, já que morávamos em um condomínio militar no meio do mato.

Diferentemente de mim, minha irmã sempre foi magra, e, até alguém verbalizar isso, eu nunca tinha notado. Lembro de uma vez que minha avó chegou para mim e disse que eu tinha que ser esbelta que nem a Bia, que a minha barriga era coisa de gente preguiçosa. Eu devia ter uns 8, 9 anos. Nessa época, meus pais estavam preocupados comigo, porque eu não "espichava" como as outras crianças, continuava sendo gorda. Essa foi a fase em que comecei a frequentar médicos e, assim, iniciava uma vida em busca do corpo perfeito.

Estou contando tudo isso para falar sobre a minha mãe. Nunca tivemos uma boa relação. Desde pequena oscilávamos entre amor e ódio, nos bicávamos o tempo inteiro. Eu a via como um monstro, lembro de deixar isso claro aos berros. E ela era uma mulher jovem, que vivia para a família, e não gostava quando as coisas não saíam do jeito que ela queria. E o meu corpo sempre foi objeto de constantes críticas, julgamentos e apontamentos... Vivemos 18 anos entre brigas e reconciliações. E era tudo muito intenso, na base da gritaria mesmo. Fui morar com a minha avó, que, apesar de também não ser fácil, era mais tranquilo do que estar perto da minha mãe. Todas as vezes que eu passava uns dias na casa dos meus pais, brigávamos novamente, e de novo, então eu me afastei. Teve um período da minha vida em que eu acredito ter visto ou falado com a minha mãe pouquíssimas vezes, mesmo.

E assim seguiu a nossa relação, em que nos víamos pouco, falávamos pouco e vivenciávamos momentos felizes de forma muito passageira... Até eu criar o meu canal no YouTube. Ela não gostou da minha exposição, não se interessou pelo feminismo e me achou completamente descompensada por falar sobre essas coisas na internet. Continuei afastada, mas fazendo o meu. Às vezes gravava vídeos na casa dos meus pais. A Maratona do Amor-Próprio foi quase toda gravada lá. Tínhamos uma relação realmente bem oscilante, mas o assunto que eu tocava no canal começou a me fazer entender algumas coisas.

Eu enxerguei a minha mãe como ser humano. Tirei o "cargo mãe" e pensei na Carmen. Uma mulher que se casou jovem, tem três filhos, cuida da casa, vive para a casa e quer todos bem. Tem medos, anseios, dificuldades e não compartilha isso com ninguém. Uma mulher que sentia dores e ninguém sabia, pois preferia não falar para não incomodar, que fazia de tudo para o bem de todos e se deixava de lado, não pensava em si mesma e tinha momentos de explosão quando não aguentava mais... Tirei o véu maternal e entendi que aquela pessoa teve uma socialização ainda mais machista, patriarcal e difícil do que a minha, criada pela minha avó, que foi criada pela minha bisavó... Como acabar com esse ciclo?

Por muito tempo eu culpei a minha mãe pela minha baixa autoestima, pois ela falava que eu nunca ia arrumar um namorado, que nunca ninguém iria gostar de mim, que ser gorda me afetava a vida inteira... Pode ser que o que ela tenha realmente me machucado e afetado, mas não era justo que eu a continuasse culpando pelo meu "fracasso". Ela tentou fazer com toda a boa vontade para que eu fosse aceita, para que as pessoas me quisessem, para que eu não sofresse... Eu acredito que muitas mães também pensem assim, que tudo que elas podem dar de melhor para sua filha é que ela seja bonita, para que ela seja atraente, para que ela seja interessante, para que ela não sofra na vida. Quando o meu irmão nasceu, eu tinha 13 anos, e foi exatamente assim que eu pensei sobre ele: eu quero que ele tenha a melhor vida do mundo e não sofra.

Só quando o feminismo chegou na minha vida eu entendi que tanto eu quanto a minha mãe éramos duas mulheres insatisfeitas, que reproduziam essa insatisfação o tempo inteiro, praticando o ódio-próprio e destilando o que tínhamos de pior uma na outra. Nós duas não tínhamos culpa de nos compararmos, de entrar em "competição"; isso nos foi ensinado.

Nessa fase do começo do canal, decidi que iria entender a minha mãe e não responder a ela, brigar com ela, porque muitas das coisas que me diziam tinham a ver com problemas internos dela. Passei a ser mais paciente e presente, mostrando, com a minha vida, que eu estava bem da forma que escolhi viver. Nesses quase três anos desde que criei o canal, brigamos algumas vezes, mas nada comparado ao passado. Além disso, em cada briga, eu notava que conseguia ceder mais, e, ainda melhor, que ela também estava tentando. Começamos a nos respeitar e entender a vida uma da outra.

Estava tudo caminhando bem, até que eu decidi tirar férias com ela. Uma atitude que parecia correta, mas me dava um pouquinho de receio, confesso. Fazia anos que eu não passava mais de 5 dias ao lado da minha mãe, que dirá no exterior por 20 dias! Parecia uma receita certa para uma nova briga, mas me surpreendi: vivi os melhores dias da minha vida...

Estou chorando enquanto escrevo isto, porque é tudo tão bom que ainda não acredito. Desde o aeroporto, aqui em São Paulo, começamos a falar sobre feminismo, em doses homeopáticas, porque havia acabado de acontecer um ataque de ódio contra mim na internet e ela quis entender essas coisas... E assim seguiu ao longo de toda a viagem. Tivemos inúmeras conversas sobre assuntos que nunca discutimos, entendemos mais uma à outra e a vida deu um monte de adversidade para nós duas durante a viagem, como se fosse uma prova de que conseguiríamos passar por aquilo...

Passamos com louvor. No último jantar da viagem, rimos juntas sobre as duas acharem que a experiência seria diferente do que foi. Sobre como nós tínhamos evoluído e finalmente conseguido nos entender... Chorei muito na hora e choro novamente agora. Graças ao feminismo, eu pude ver minha mãe como ser humano e tratá-la como tal, e ela fez todo um esforço de iniciar um olhar diferente e me compreender. Nós nos tornamos amigas. Nem acredito que vivo em um mundo em que sou amiga da minha mãe. E eu a amo. Verdadeiramente a amo. Quando nos despedimos da viagem, já que ela mora no Rio e eu em São Paulo, foi a primeira vez que desejei passar mais tempo ao lado dela. Mudou tudo!

Conto toda essa história porque é a minha vivência. Você tem a sua. Se por acaso o problema for alguém da sua família, vale o esforço. Aqui vão então algumas dicas com base na minha experiência:

— Respeite o tempo da pessoa e evite forçar o contato. Se der para se afastar fisicamente, melhor.

— Entenda que ela é um ser humano, tem seus problemas e questões, e muito do que faz talvez seja tentando acertar e não saber como.

— Busque maneiras de evitar conflitos, meio que para "dar exemplo" e fazer a pessoa entender que você não quer guerra.

— Peça sempre que a pessoa te respeite, mesmo que ainda não te aceite. Respeito é o mínimo e precisa ser recíproco.

— Viva a sua vida sem ansiedade para que as coisas melhorem logo. O tempo é o melhor remédio sempre.

Pode ser que a sua situação seja diferente da minha. Pode ser que você sofra violência psicológica e até mesmo física por parte de alguém da família. Nem sempre tudo vai ficar bem, nem sempre as coisas vão se acertar. Tem gente que sofre abuso, é expulsa de casa... Muitas vezes não tem solução mesmo, ou a solução só aparece depois de anos e anos e anos. Não sei pelo que você passa, mas, se for algo mais pesado e permanecer até os dias atuais, busque ajuda.

6) Pare de seguir e consumir conteúdos quem te fazem mal

Sabe aquela menina que você segue no Instagram que posta uma foto às três da tarde de uma terça-feira na Tailândia? Legal, ela está mostrando a viagem dela, mas, se te faz mal estar no trabalho vendo uma foto dessas, por que você continua fazendo isso consigo mesma? Se você sabe quais são as pessoas que segue que te fazem mal, para que continuar acompanhando a vida delas?

Isso serve para o Instagram e para a sua vida de forma geral. Quais são os conteúdos que você consome? Nas novelas, na televisão, nas revistas só se vende perfeição. Ainda temos pouco material audiovisual e impresso que siga o caminho contrário da sociedade, então essas histórias das novelas só te fazem permanecer nesse ciclo. Poucas são as atrações que buscam incluir pessoas, como fez *Malhação* em 2018, falando sobre todas as formas de preconceito, incluindo a pauta da gordofobia. Não gaste o seu tempo permanecendo nesse mar de insatisfações.

Consuma conteúdos de qualidade, como livros (espero que este esteja agregando algo em sua vida), filmes e séries que vão te ajudar a pensar a vida, desconstruir preconceitos e ir além.

7) Busque representatividade

Imagine uma princesa. Como você a descreveria? Não tente acertar; pense exatamente como você vê uma princesa hoje... Quando eu pensava em uma princesa antes, sempre me vinha à mente a imagem de uma menina frágil, branca, com cabelo loiro e liso, magra, delicada e angelical. Disso tudo, a única coisa com a qual

> **Sabe aquela menina que você segue no Instagram que posta uma foto às três da tarde de uma terça-feira na Tailândia? Legal, ela está mostrando a viagem dela, mas, se te faz mal estar no trabalho vendo uma foto dessas, por que você continua fazendo isso consigo mesma?**

eu me identifico é o fato de ser branca. No geral, eu não me via nas histórias de princesas, nunca era uma menina como eu, "diferente". Eu não era representada nesses contos, assim como não era representada por ninguém nos desenhos, nas séries, novelas, na publicidade... Eu não me via em lugar algum.

Buscar representatividade é ir atrás de pessoas que te acrescentem, que gerem identificação e te façam sentir normal. Se você é uma menina negra, com cabelo crespo, por que não se inspirar nos penteados que a blogueira que se parece com você faz em vez de buscar insatisfação na mina branca do cabelo liso? Se você quer ser body positive, que tal parar de seguir pessoas que pregam um corpo perfeito e começar a ir atrás de gente que busca ressignificar esse olhar?

Quando você se vê representada, se sente normal. Qual não foi a minha surpresa quando eu, euzinha mesma, fiz um comercial de beleza para a Avon? Eu, que sempre me odiei, estava agora na televisão mostrando a mulher maravilhosa que me tornei, fazendo propaganda de maquiagem! Eu, que nunca me senti representada por ninguém, estava agora dando representatividade para meninas que se parecem comigo. A vida é incrível mesmo.

Mas aqui vai um alerta: tem gente que ainda não está preparada para ser representada. Digo isso baseada em mim mesma e no fato de que as celebridades, quando engordam ou param de usar artifícios para ser diferentes em suas fotos no Instagram, por exemplo, são muito criticadas. Um caso assim aconteceu com a Rihanna, em 2018. Ela apareceu mais cheinha em uma apresentação, postou fotos com esse corpo "novo" e

> **Buscar representatividade é ir atrás de pessoas que te acrescentem, que gerem identificação e te façam sentir normal. Se você é uma menina negra, com cabelo crespo, por que não se inspirar nos penteados que a blogueira que se parece com você faz em vez de buscar insatisfação na mina branca do cabelo liso?**

recebeu uma chuva de bodyshaming. Por que as pessoas se incomodam tanto com o fato de a Rihanna ter engordado? Talvez o fato de ela estar mais real, mais próxima das pessoas, menos "diva", confunda essas pessoas a ponto de elas não aceitarem isso. Deixa a divindade onde ela está... É como se gostassem, mesmo, de permanecer em constante insatisfação, necessitando idolatrar incondicionalmente alguém de quem você nunca vai chegar aos pés...

Muitas pessoas não estão preparadas para isso, e talvez você seja uma delas. Talvez você olhe para o corpo de uma mulher que se parece contigo e tenha dificuldade de ver beleza nele... Faz parte do processo essa mudança de olhar; é normal que você não ache tudo maravilhoso. A diferença é o que você vai fazer quando perceber que algo te incomoda.

Comece a seguir essas pessoas e deixe-as lá no seu feed; só vá olhando, percebendo, entendendo... No início pode ser que você nem as ache bonitas, ou se incomode com alguma coisa. Mas faça esse movimento de se colocar para fora do olhar padronizado, que busca a perfeição, procure por novas formas de beleza. Permaneça acompanhando e siga com sua vida.

> **O que você acha bonito em você? Vai lá, sempre tem alguma coisa. Pense em algo que você acha bonito, não que um dia te elogiaram.**

Aceitação é um processo profundo e íntimo de autoconhecimento.

8) Comece a ver beleza em você

Ser body positive não é se sentir bonita, se achar bonita, é se sentir bem consigo mesma independentemente do que dizem ou do que esperam de você. Se a esse sentimento você dá o nome de "beleza", assim como falamos no capítulo anterior, então seguimos com essa palavra.

O que você acha bonito em você? Vai lá, sempre tem alguma coisa. Pense em algo que você acha bonito, não que um dia te elogiaram. Algo para o que você olhe e ame de verdade... Talvez não tenha nada agora, e tudo bem, mas, se tiver, pense nessa região e por que gosta dela. Provavelmente ela é a parte do seu corpo mais aceitável, mais "interessante" ou que se assemelha ao que se espera de uma pessoa bonita. Por exemplo: cabelo comprido e liso, boca carnuda, seios fartos, bundão, cintura mais fina... Mesmo as mulheres gordas que não se aceitam reconhecem certos "atributos" em si mesmas.

Eu, por exemplo, sempre gostei do formato do meu rosto quadrado, da minha boca, das minhas pernas... Mesmo não me aceitando, eu gostava de uma parte ou outra. Eu quero que agora você faça o contrário. Liste as coisas de que não gosta em si mesma. Porque você não gosta da sua barriga, dos seus seios, das suas mãos? Por que essas partes te incomodam?

Essas áreas, que talvez você considere como "defeito", só precisam de um olhar carinhoso. O seu corpo é a sua história, é quem você é. Se você é dessa maneira, tem uma razão de ser. Pense em como cada parte de você é importante para te manter funcionando, estabilizada, inteira, saudável.

Eu tinha problemas com muitas partes do corpo, e os braços sempre me atormentaram. Eles são grandes, muitas vezes maiores do que as coxas das minhas amigas magras. Eu odiava meus braços, sempre escondia com blusas, casacos, kimonos, mesmo em dias quentes. Durante meu processo de aceitação e, principalmente com o body positive, eu passei a pensar em como eles me eram úteis, como me ajudavam e estiveram comigo a vida inteira funcionando corretamente e eu só destilava ódio... Ódio pela parte do meu corpo que é dessa forma, é maior mesmo e é isso aí...

Inicialmente eu apenas aprendi a lidar com essa área. Sabe quando você ama uma pessoa e releva algumas coisas que te incomodam por gostar tanto dela? Comece a focar no lado positivo das coisas e simplesmente aprenda a conviver com essa parte do seu corpo de que você não gosta. Releve o fato de ela não ser perfeita, ser diferente, muitas vezes fora da "forma" que te agrada... Apenas releve, apenas a deixe existir, ser.

Eu fiz isso com meus braços. E, quanto mais eu avançava no meu processo, menos eu os escondia. Aconteceu naturalmente. Quando vi, eu tinha feito uma tatuagem no braço. Tatuei uma Vênus de 20 cm, pelada, de lado, com o meu formato de corpo, segurando um X, de "seguidoras", como eu chamo quem me segue... Foi natural; eu só percebi depois que tinha realizado o ato. E a essa altura eu já achava que estava totalmente desconstruída e me amando por completo... Não, nunca acaba.

Assim como entramos num ciclo de insatisfação em busca do corpo perfeito, avançamos em uma luta interminável no caminho na aceitação. Sempre haverá algo novo a ser trabalhado, descoberto, amado... Por isso não existe um estalo e PÁ!, do dia para a noite você está em paz com tudo a seu respeito. Eu tenho estes braços. O que eu posso fazer a não ser aceitar os braços que tenho? Isso não é conformismo, é aceitação.

Não. Até hoje tem partes do meu corpo que me incomodam, e eu sei o motivo disso. Eu aprendi a conviver, aprendi a lidar e dia após dia estou trabalhando para ir aceitando essas áreas. Não quer dizer que eu seja uma fraude por isso, ou que não me ame de verdade. Quer dizer que eu sou um ser humano que viveu 26 anos se odiando e está há apenas 3 anos nesse processo de se desconstruir, se reencontrar e construir o amor-próprio. Eu sou como você, não há nada de especial em mim que me faça ser a rainha da autoestima. Eu sou exatamente como você.

Então, pare de se ignorar diante do espelho. Perceba o seu corpo. Lembra da consciência corporal? Faça as pazes com o espelho e converse consigo mesma. Pode parecer meio doido, mas dá supercerto. Ficar na frente do espelho falando tudo o que sente vontade é uma maneira incrível de se conhecer, se olhar, perceber os momentos em que se emociona e iniciar uma verdadeira autoterapia. Eu fiz e continuo fazendo isso até hoje. Eu me sinto idiota no começo, mas é tão bom e na maioria das vezes eu termino a "conversa" dando um beijo no espelho, o que torna tudo bem mais estranho.

Mas é tão maravilhoso! Me tornei minha amiga, gosto de me ouvir falar, gosto de entender a forma como eu penso, o que estou sentindo... Falar é uma terapia. Colocar para fora vai te deixar mais leve e consciente. Experimente.

9) Treine bastante

A psicóloga social Amy Cuddy tem um ótimo conceito sobre como a postura pode mudar a nossa relação com os outros. Em seu TED Talk, a americana mostra como isso ocorre no cérebro e dá dicas para você ser uma pessoa mais confiante. Peguei o que ela falou e trouxe para a nossa realidade aqui. Já ouviu a expressão "fake until you make it" (finja até que você consiga)? É mais ou menos por aí.

Imagine passar todos os dias da sua vida acordando, indo em direção ao espelho e falando várias coisas ruins sobre si mesma. "Bom dia, nojenta"; "você é desprezível"; "cada parte de você me dá nojo"; "os seus braços são maiores que as coxas das suas amigas"... Isso não me faria nada bem. Só faria com que eu me odiasse cada vez mais.

E se você fizer o inverso disso? Acordar, ir em direção ao espelho do banheiro e falar apenas uma frase boa, diferente, todos os dias. "Bom dia, maravilhosa"; "olha esses braços, são grandes né? Mas são seus; agradeça"; "você é tão inteligente"; "eu amo o seu esforço no dia a dia"... Talvez seja disso que você está precisando, fingir até conseguir.

Segundo Amy, o seu corpo muda a sua mente, sua mente pode mudar o seu comportamento e isso afeta seus resultados. Ou seja, fingir até que você se torne, de fato, essa pessoa que diz coisas boas sobre si mesma e viver, de fato, essa realidade. Faça isso mesmo que estiver se sentindo idiota, mesmo que esteja com medo ou sem graça.

Os atletas treinam todos os dias para um campeonato que, muitas vezes, ocorre meses depois. É preciso muito treino para manter o condicionamento físico, evitar lesões e conquistar um bom resultado em uma partida. Seja uma atleta body positive! Pratique o amor-próprio e a aceitação todos os dias, mesmo que seja difícil no começo. E lembre-se de que numa competição sempre temos a possibilidade de vencer ou perder. Dias bons, dias ruins.

Um hora tudo se torna normal e você internaliza tudo isso, vive de fato, acredita. Para quem passou a vida inteira se odiando, experimentar passá-la se amando é uma boa solução, né? Mas cabe apenas a você iniciar esse processo. Ninguém, nem um ser humaninho, nada mesmo pode te substituir nessa jornada. É tu contigo mesma, amiga.

10) Vai feia mesmo!

Você provavelmente já deixou de fazer alguma coisa por se sentir feia, né? Já deixou de ir a algum lugar porque não estava se sentindo bem com sua aparência, não acreditou ser boa o suficiente para ir a um encontro, achou que iriam te achar ridícula...

Desde pequena eu aprendi que eu tinha que ser bonita, que precisava apresentar uma fachada comercial para que as pessoas se interessassem por mim. Isso tinha a ver não só com o meu corpo físico, emagrecer ou engordar, mas também com o meu rosto cheio de espinhas, o meu cabelo que tinha que ser liso, com o meu pé... E eu me recordo de não sair de casa por causa disso, preferindo ficar trancada com minha tristeza, me sentindo um lixo por não estar aproveitando a vida como as outras pessoas.

Uma vez, uma conhecida minha contou uma história sobre como ela lidou com uma situação com a filha dela, e preciso compartilhar com você aqui. A menina, com 14 anos, tinha um aniversário para ir e não queria sair de casa por se sentir feia. A mãe disse que pensou em responder com o senso comum, reforçando que sua filha era linda e perfeita, mas decidiu fazer diferente. Não dava para negar o sentimento da menina afirmando que ela era bonita: ela precisava amadurecer e saber lidar com suas frustrações. Então, a mãe chegou para a filha dela e falou assim: "Olha só, você sabe o que eu penso sobre você, mas não adianta eu falar que você é bonita. Não adianta falar que eu não te acho feia. Porque é você que precisa acolher esse sentimento que você está sentindo."

Em muitos momentos da nossa vida vamos nos sentir feias, só que precisamos encontrar dentro de nós mesmas nossas potencialidades para que possamos nos sentir bem de novo, porque são elas que vão te levantar e dar força para enfrentar as situações.

Aí a filha dela disse: "Ah, mãe, então eu não vou no aniversário." "Não, filha, você vai sim. Vai se sentindo feia mesmo. Sabe por quê? Porque você ainda vai passar muito tempo tentando entender como você vai fazer para se sentir bonita, e a partir da experiência com seus amigos hoje é que você vai resgatar o lado bom que você enxerga em si mesma, que você vai resgatar a sua beleza", minha colega respondeu à filha.

É mais ou menos como aquele filme maravilhoso, *Divertida Mente*. A gente entende que, para a tristeza existir, a alegria vem junto e vice-versa. A diferença é como lidamos com esses momentos de tristeza e alegria, e é preciso entender que não podemos afundar nas horas tristes, nem perder a linha com a alegria. É amadurecimento mesmo.

> **Em muitos momentos da nossa vida vamos nos sentir feias, só que precisamos encontrar dentro de nós mesmas nossas potencialidades para que possamos nos sentir bem de novo, porque são elas que vão te levantar e dar força para enfrentar as situações.**

Pense num rio. Eu estou aqui, tem um rio na minha frente. Preciso atravessar o rio para o outro lado. E vou atravessar esse rio mesmo com toda a dificuldade para chegar do outro lado. Então, eu atravesso e chego do outro lado, e, quando vou atravessar o rio de novo, a água que vou atravessar não vai ser mais a mesma, porque a água está em movimento, e é preciso outras potencialidades para atravessar o rio de novo.

Essa é a dialética da vida, porque vida é movimento. Existe uma dinâmica para entendermos o equilíbrio entre tristeza e alegria. A cada vez vai ser diferente, só que estaremos em movimento. Se não nos movimentarmos, se não agirmos, se não fizermos as coisas, permaneceremos nos excluindo da vida. Precisamos nos movimentar para ficar no equilíbrio da vida. Não é negar aquilo que nos deixa para baixo, mas reconhecer o que nos põe para cima.

É engraçado isso, porque várias vezes já deixei de fazer alguma coisa porque me sentia feia, porque não me sentia boa o suficiente ou porque achava que as pessoas iriam rir de mim. Na verdade, o mais engraçado é que, todas as vezes que enfrentei essas coisas, todas as vezes que eu fui, que me movimentei, foi maravilhoso. Porque você vai vendo que aquilo que estava sentindo era passageiro.

Muitas vezes eu escolhi ficar em casa. Escolhi ficar deitada, debaixo da coberta, não tomar banho, e só afundava mais ainda. E eu adorei essa história da minha colega com a filha dela, porque a menina acabou indo para o aniversário, curtiu pra caramba e esqueceu tudo. Ela voltou se sentindo bonita, olha só!

Se a gente não fizer as coisas, se deixar para amanhã, se esperar o dia perfeito para fazer alguma coisa, o dia em que emagrecer, o dia em que ficar linda, o dia em que eu fizer uma lipo, uma plástica, em que o cabelo estiver bom, em que a pele estiver sem espinha... Nunca vai fazer nada. A vida começou há muito tempo, mas parece que você não percebeu ainda, porque provavelmente está buscando ser alguém que você nem sabe se quer ser.

Vai ter dia em que vamos nos sentir uma merda, em que não estaremos bem mesmo... E tudo bem. Lembre-se dos momentos em que você sentiu bem. Não deixe de ir às festinhas, happy hour, de fazer as coisas, porque assim você deixa de viver. A gente vai olhar o copo meio cheio, mas não vai negar a metade do copo que está vazia. A gente vai só entender que daqui a pouco ele vai encher de novo, que ele pode esvaziar todinho e vai encher de novo... Vamos tentar chegar a esse equilíbrio e entender que a vida é dinâmica, é movimento.

Vou contar para você uma coisa sobre mim: quando me sinto assim, eu preciso muito falar com os meus amigos, compartilhar como estou me sentindo. As amizades que eu tenho, as pessoas que falam comigo quando eu vou reclamar alguma coisa sobre mim, quando não estou me sentido bem, são sempre pessoas que falam para mim muito mais do que: "você é linda"... Elas falam: "Olha o trabalho que você faz, olha como você é foda, olha como você ajuda as pessoas, como você conseguiu ir além"...

E é muito legal isso, porque as minhas amizades não falam só que eu sou linda; elas falam muito mais do que a beleza externa, do que uma fachada comercial

Elas falam do que está aqui dentro das minhas potencialidades, do meu caráter, de quem eu sou. Até porque, se falassem como eu sou bonita, só iriam reforçar que é a aparência que importa, e talvez isso entrasse por um ouvido e saísse pelo outro. De que adianta falarem que sou bonita se estou me sentindo feia? Como vão mudar o que eu sinto por mim?

Então, entenda que a coisa vai muito além da sua aparência. Você tem caráter, tem personalidade, capacidade, valores. Valorize isso em você. Você pode ter um rostinho bonito ou não; o que importa é que você se sinta bem com a pessoa que é. Você é uma pessoa maravilhosa, entendeu? E, meu amor, não sabe se vai? Se você está se sentindo feia, vai feia mesmo! Não deixe de viver. Não deixe a vida para amanhã, porque a gente não sabe se vai estar por aqui, tá bom?

11) Dias de luta, dias de glória: a bad real

Algumas vezes você vai preferir ficar em casa mesmo e ok, tudo a seu tempo. Mas passe esse momento com você e não se odiando por não conseguir agir ainda, por ainda se sentir paralisada diante da situação... Tenha paciência consigo mesma e compreenda que nem sempre vamos nos sentir bem, e está tudo bem, você já está nesse processo, a intenção é maravilhosa e conta muito para a sua evolução. Quer uma dica que funciona comigo? No dia em que você tiver alguma coisa para fazer e não quiser sair por se sentir mal com a sua imagem, faça um encontro consigo mesma, passe uma maquiagem, coloque uma roupa diferente, vá arrumar seu armário, seu quarto, faça algo de bom por você.

> **Ficar mal faz parte, é normal e importante. Estando mal você descobre maneiras de ficar bem de novo.**

Em vez de afundar, esteja presente nas coisas que importam na sua vida e aja dentro de casa mesmo. Nem que seja organizando suas fotos no celular, fazendo uma limpa nos aplicativos, pegando aquele livro maravilhoso para ler, assistindo a um filme sobre a vida de uma pessoa foda, que vai te inspirar.

Esses momentos em que estamos sozinhas são muito importantes. São os momentos em que nos reconectamos conosco. Na real, eu recomendo isso sempre, sabe? Não precisa estar na bad para aproveitar e fazer algo de bom por você. Isso pode ser feito a todo momento.

Eu mesma, que vivo cheia de gente em casa, adoro estar sozinha na minha cama com a Eva, minha cachorra. Ficamos lá deitadas, no escuro. Ela logo cai no sono, eu fico viajando nas minhas ideias, aproveitando o silêncio, longe do celular... São momentos raros hoje em dia, mas eu amo e necessito deles para recarregar as energias.

Ficar mal faz parte, é normal e importante. Estando mal você descobre maneiras de ficar bem de novo. Mesmo que nem para isso você tenha forças, apenas aceite o que o seu corpo e sua mente estão pedindo no momento. Se você perceber que está se excluindo demais, deixando de fazer tudo mesmo e nem essas dicas que eu já dei estão ajudando, recomendo que procure ajuda psicológica, pois os sintomas são depressivos, então é necessário o auxílio de alguém que impulsione seu movimento.

12) Você não precisa de um relacionamento para ser validada socialmente

Lembra que falei lá em cima sobre o amor mais importante ser o próprio? Depois vem o recíproco. Você não precisa ter um ficante, namorado, marido, nada disso para se sentir validada socialmente. Sim, a sociedade realmente te cobra isso, como uma norma, mas tire isso da cabeça. Sabe por quê? Porque ninguém é a metade de ninguém. Você não precisa de outra pessoa para completar algo que lhe faltava. Não lhe falta nada; você é inteira. Tanto que você só consegue, de fato, amar alguém se antes fizer isso por si mesma; se você se amar em primeiro lugar.

E, por favor, cuidado. Essa lenda de que precisamos encontrar a metade da laranja, somada à baixa autoestima, é um prato cheio para relacionamentos abusivos. Quando você não tem dentro de si uma perspectiva formada de quem você é, do seu papel no mundo, das suas expectativas, do seu amor-próprio, e encontra alguém que vai te dar o mínimo, que vai falar o que você é, se agarra àquilo, sem avaliar no que está se agarrando. Não inicie uma relação se você está no ciclo do ódio-próprio. Não comece nada enquanto não se der valor, senão pode ser que percebam isso e usem contra você.

É comum no relacionamento abusivo que a pessoa abra mão da sua vida, de quem é, de quem poderia ser, e faça as vontades do outro, porque o outro está te dizendo o que você é, como você deve ser... É como se você precisasse muito da afirmação de alguém, de alguma forma, e alguém finalmente tivesse enxergado e te dado espaço. Ficar nesse redemoinho é um inferno, porque em algum lugar dentro de você há plena certeza de que aquilo está errado, alguns valores seus são contra esse relacionamento, mas o medo de estar sozinha é muito maior. O medo de não ter ninguém que a ame, que dê mesmo que migalhas de afeto, é superior a tudo isso. Isso porque, quando se fala sobre esse assunto

> **Nunca deixe de acreditar na sua voz interior, que sabe que essa situação está errada. O que você vai fazer com essa informação e o esforço que vai usar para empregá-la às vezes não vêm sozinhos.**

na sociedade, existe toda uma pressão de cunho cristão de que a pessoa pode mudar. Você acredita que com você tudo será diferente, que a pessoa vai mesmo melhorar... Você tenta fazer de tudo pelo outro e vai se abandonando. Um abandono atrás do outro.

Nunca deixe de acreditar na sua voz interior, que sabe que essa situação está errada. O que você vai fazer com essa informação e o esforço que vai usar para empregá-la às vezes não vêm sozinhos. É preciso ter força para ser escutada, para ser levada a sério e terminar, de fato, uma relação que te faz mal, que é abusiva.

E não se sinta culpada, não ache que ninguém mais vai te amar ou que a raiz de todos os problemas é sua. Tenha carinho com a pessoa que você foi e é até agora. Você foi o melhor que podia ser, e precisa respeitar essa pessoa que você foi e a que está sendo. O primeiro passo é escutar essa voz, dar atenção a ela, fortalecê-la, porque, uma vez que a gente se fortalece por dentro, o externo não vai fazer o mesmo efeito que fazia antes.

Esse assunto é extenso. Existem muitos casos de relacionamentos abusivos, que vão desde violência psicológica, manipulação, agressões verbais e físicas... É um papo bem sério e que precisa ser amplamente discutido para que nós, mulheres, saibamos reconhecer esse tipo de relação e descobrir uma maneira de sair dela. Tenha pessoas de confiança ao seu redor e procure ajuda caso haja necessidade. Terapia, mais uma vez, é a melhor das soluções!

13) Talvez você ainda comece a se amar sozinha, em casa, e na rua ainda se sinta mal

Muitas vezes é nessa parte que as pessoas se perdem. Você inicia seu processo de aceitação, mas encontra no caminho uma dificuldade: consegue entender tudo isso na teoria, consegue até se aceitar, mas quando sai na rua continua passando por situações desagradáveis que te colocam novamente com a autoestima baixa. Isso é porque você precisa aprender a se proteger. Não dá para mudar as coisas se você continua agindo da mesma forma, certo?

Bom, eu acredito que uma das maiores dificuldades dentro de se aceitar e se amar de verdade seja achar que as coisas são feitas num passe de mágica. Que do dia para a noite a gente vai acordar se amando, se aceitando, se adorando... E aí, quando a gente pisa na rua, não é bem assim. Na verdade, o processo é muito íntimo. É muito pessoal, e te obriga a aprender a lidar consigo mesma em diversas situações... E existem situações pelas quais a gente passa que ainda são difíceis de lidar.

Já faz três anos que passei por todo esse processo comigo mesma, e ainda hoje me pego em diversas situações que vejo que ainda não estou preparada para lidar. Esses dias mesmo eu estava fazendo compras no centro de São Paulo e pedi para o Caio tirar uma foto minha, justo em um local onde havia um monte de homens trabalhando em uma obra. Eram uns 30 homens, e eles ficaram rindo, zombando, apontando para mim... Fiquei com raiva, me senti mal, me senti insegura, me senti menos... Mesmo assim eu fiz a foto e encarei aquilo.

Continuo sendo uma pessoa insegura em diversas áreas da minha vida. A gente sempre vai ter uma insegurança. Se amar e se aceitar não quer dizer que do dia para noite você fica supersegura com a vida... Não é. É uma coisa que acontece dia após dia. É um processo, e você precisa realmente entender que é para a vida inteira. Eu passei por isso e provavelmente seja a rainha do amor-próprio para muitas, mas não sou. Sou um ser humano normal que tem várias questões, falhas e problemas. Todo dia descubro uma coisa nova que me impede de afirmar que eu sou assim ou assado, porque eu não passei por uma série de coisas que vão me mostrar outras formas de reagir, responder, aprender...

Então, o maior segredo para você começar a ser mais de verdade é começar a viver de verdade. É você começar a enfrentar as coisas, começar a sair da zona de conforto e enfrentar suas inseguranças. Isso é muito difícil, mas só nós podemos fazer.

Se você já gosta de si mesma dentro de casa, se você já começou a fazer fotos, começou a ir a festas, a gostar de você e a se enxergar diferente, os outros não vão te enxergar diferente do dia para a noite. Não vai ser assim. E pode ser que a pessoa que você quer que te enxergue assim nunca te enxergue assim. Não importa: se a pessoa não serve para andar com você, para estar na sua vida, é uma pessoa que não te olha como você quer ser olhada... Porque você tem que se olhar com amor. E o amor tem que vir de você. Não espere que ele venha dos outros para que você seja aprovada. Não coloque a sua autoestima na mão de ninguém.

Se a gente não consegue se amar do dia para a noite, para se odiar são dois segundos, né? Em instantes conseguimos não gostar mais de quem somos. Basta uma pessoa e acabou a aceitação, adeus autoestima, acabou a alegria. Um dos objetivos deste livro é encorajar você a entender que esse é um processo lento e bem demorado. Você vai descobrindo coisas novas sempre, cada vez mais trabalhando em outras áreas e vendo que naquela área específica você ainda não está 100% segura... E você nunca vai estar 100% segura com tudo. E está tudo bem. Essa é a vida; a gente vai aprendendo.

Não coloque no outro a responsabilidade pela sua felicidade, pelo seu amor-próprio, pela autoestima alta. A outra pessoa não pode ter o poder de derrubar você. Não dê esse poder a ela. Seria muito fácil eu entregar na mão daqueles 30 caras que estavam rindo de mim o poder de me destruir, de me deixar mal. Fiquei insegura, me senti mal, mas fui lá, continuei e tirei minha foto.

A diferença nesse processo todo é como você lida com as situações. Antigamente, a Alexandra iria tirar uma foto, iriam rir e zoar e eu nunca postaria uma foto dessas. Eu nem posaria para foto: teria desistido logo. Mas eu quis sair dessa zona de conforto e ir atrás de vencer mais uma insegurança para mostrar a você que é possível. E tem algumas maneiras de tornar isso mais fácil. É a próxima dica.

14) Crie uma rede de apoio e preste atenção aos ambientes que frequenta

Se você ainda fica se respaldando muito naquilo que as pessoas acham ou falam, pense primeiro em quem anda com você, quem está no seu bonde. Porque tem pessoas que às vezes só te colocam para baixo, as pessoas tóxicas, como já falamos aqui. Vá atrás de amigas que te representem, te acolham e deixem você ser quem é, sem julgamentos e com empatia. Porque, se você está nesse processo de aceitação e continua andando com as mesmas pessoas de antes, as mesmas coisas vão continuar acontecendo.

Sabe por quê? Quem é seu amigo de verdade você consegue controlar. Não controlar a vida da pessoa, mas aquele se torna um ambiente seguro e confortável, onde você sabe que não encontrará preconceito. E, caso aconteça algo do gênero, há total liberdade para que isso seja discutido. Ter pessoas assim ao seu redor é criar uma rede de proteção que te faz viver, de fato, o que eu falo em todas essas dicas aqui. São essas pessoas que vão andar com você por todos os lados, te fazer companhia e dar proteção.

Se você está querendo ir a uma balada com uma roupa e está com medo de ser zoada, veja a balada aonde você vai. Você quer realmente ir a uma balada com pessoas assim? Que público é esse? Eu e meus amigos e sócios Bernardo Boëchat, Caio Cal, Juliana Rangel e Ricardo Lima criamos a festa Toda Grandona, a primeira balada Body Positive do Brasil. Depois da primeira edição, recebemos mensagens de pessoas agradecendo por estarem, pela primeira vez, curtindo uma boate, à noite, dançando e sendo feliz sem que seu corpo fosse julgado. Pessoas que saíram de casa pela primeira vez com um decote, homens gordos que nunca tinha aberto a camisa numa festa, casais se formando... Era um ambiente seguro. As pessoas se sentiram livres. Não é à toa que a festa é um sucesso e só ganha mais força. Nós precisávamos desse lugar.

> **Vá atrás de amigas que te representem, te acolham e deixem você ser quem é, sem julgamentos e com empatia.**

Eu tenho muito orgulho da rede de apoio que criei ao meu redor. São pessoas maravilhosas, que só me acrescentam e me fazem evoluir dia após dia. Além das pessoas que moram e trabalham comigo, minhas melhores amigas entraram nesse processo de desconstrução (Raquel Brandão, Camila Oliveira e Jéssica Quadros), e nós todas crescemos juntas. Não fossem essas pessoas na minha vida, talvez eu tivesse muito mais recaídas ou desistido. Elas me deram força para continuar, elas fazem parte deste livro. Aprendi tanto com elas que cada parte das palavras que escrevo tem um pouco de cada uma. E cada vez chega mais gente, e mais gente...

Construa essa rede ao seu redor. Viva isso de verdade. Só assim você consegue pisar na rua e entender que vai continuar sofrendo pressão, vai continuar sofrendo gordofobia, mas que existe uma vida maravilhosa a viver. As coisas ruins, infelizmente, não podemos mudar num estalar de dedos. Selecione pessoas, selecione ambientes e siga em frente. Aprender a se proteger é crucial.

E, já que você vai selecionar pessoas e ambientes em sua vida, aproveite para dar espaço para novas vivências. Busque entender outras causas, outros movimentos e suas questões. A diferença é uma professora e te ensina muito sobre a vida.

15) Pare de se odiar

Você se odeia em todo momento? Até quando está se divertindo? Enquanto o ódio reinar, não haverá paz. Você tem o poder de estar em paz com cada parte do seu corpo, mas não adianta lutar contra elas. Por isso, crie uma rotina em que você agradece pelo corpo que tem, entenda que tem falhas, sim, mas que é um ser humano inteiro e completo. Inicie esse processo de perdão pelas coisas que fez contra si mesma e com os outros que passaram pela sua vida. Todos os caminhos te trouxeram aqui, para este momento, em que você está lendo este livro como uma solução para se agarrar à vontade de viver.

Sabe como eu recuperei a vontade de viver? Vivendo. Vivendo um dia por vez, entendendo que o meu papel no mundo é importante, que a minha vida tem valor, que eu mereço e posso ser feliz. Eu encarei, tive compaixão, entendi o que se passava na sociedade e busquei uma forma de driblar tudo isso. Está funcionando para mim. Espero que funcione para você.

Tudo isso vai fazer você olhar para si mesma e para os outros de outra maneira, que daqui alguns meses seja você a pessoa que vai ajudar uma amiga no processo dela. A sua relação com o sexo muda, você se permite sentir prazer e entende que é merecedora de tudo.

Meu bem, por favor, saia desse ciclo de ódio-próprio e busque o amor que está aí, talvez meio intoxicado, mas está aí dentro, não está em uma pessoa, numa crença, na sua família, no trabalho: está em você. E é algo que só você pode fazer. Por que não começar agora?

Pratique o amor por si mesma todos os dias, treine, intensifique e vá com tudo nessa competição que é a vida. Todos os dias um leão para matar, um jogo para jogar. Continue jogando. Seu papel é importante e necessário. Entenda isso de uma vez por todas: você é maravilhosa e merece todo o amor do mundo.

> Sabe como eu recuperei a vontade de viver? Vivendo. Vivendo um dia por vez, entendendo que o meu papel no mundo é importante, que a minha vida tem valor, que eu mereço e posso ser feliz. Eu encarei, tive compaixão, entendi o que se passava na sociedade e busquei uma forma de driblar tudo isso. Está funcionando para mim. Espero que funcione para você.

5
MINHA HISTÓRIA CONTINUA

As primeiras palavras escritas neste livro vêm da frase do guru Rumi: "O que você busca está buscando por você." Não sou seguidora dele nem nada, mas essa afirmação mexe demais comigo e tem muito a ver com a minha vida desde que iniciei meu processo de aceitação. Terminei a minha história no primeiro capítulo com o primeiro ano de canal, quando eu percebi que estava livre com meu corpo. Mas a verdade é que agora eu percebo que ano após ano eu experimento e vivencio novas formas de liberdade que eu nem achei que seria possível. Quem diria que uma pessoa que se odiou a ponto de atentar contra a própria vida estaria, agora, sendo referência para outras pessoas, tirando gente da lama, ajudando na busca do amor-próprio... A vida é muito louca e maravilhosa mesmo.

Impossível não chorar ao chegar ao final de um livro que vem para selar tudo isso. Escrevo estas palavras temperadas por lágrimas porque, amiga, de todo o coração, é possível chegar lá. E chegar lá não é ter um corpo perfeito, emagrecer, perder medidas e ser diferente do que você é: é perceber que você é capaz. Independentemente do formato do seu corpo, você pode e consegue, sim.

A primeira vez que eu percebi que, de fato, me aceitei foi um ano depois de começar o processo, quando gravei uma paródia na praia com amigos youtubers e seguidoras. Eu estava de biquíni, em Ipanema, dançando e curtindo, balançando o corpo, e em nenhum momento passou pela minha cabeça "opa, alguém pode me julgar", "será que vão me achar feia?", "com certeza estão me olhando"... Nada disso, nada. Eu me vi sentada na cadeira de praia, toda relaxada, e me dei conta do que estava acontecendo. Foi a melhor sensação da minha vida: eu estava livre, sim, e me amava de verdade!

Foi tão libertador e tão importante. Talvez eu não vivenciasse uma situação dessas se não fosse o meu canal e os amigos que surgiram com ele, uma verdadeira rede de apoio que deu forças para que eu me sentisse normal, viva, liberta. Juntos somos mais, fazemos barulho e movimentamos a sociedade.

Assim, fui compreendendo meu lugar no mundo, me abrindo para o novo e saindo de toda a zona de conforto que me foi quase imposta para ter uma vida livre de padrões e paradigmas sobre como eu devo ser ou agir. Corpo ideal? O meu corpo é o ideal. É a minha realidade, a minha história, sou eu. Eu o amo com todo o amor que tenho dentro de mim, e, mesmo que existam partes que eu ainda veja e pense "poxa, seria mais legal se fosse diferente, né?", isso logo passa.

Vamos continuar tendo insatisfações, somos fruto dessa sociedade. É difícil acabar com a infecção quando se vive numa sociedade infectada. Está em todo lugar, sim, mas eu aprendi a lidar e conviver com tudo isso e botar a cara no sol, porque, meu bem, eu tenho voz. E ela vai ser ouvida, já está sendo ouvida e espero que faça coro com milhares de pessoas que queiram lutar por justiça, equidade entre os gêneros e corpos.

Assim como falei lá no começo do livro, contando a minha história, eu achava que o YouTube poderia se tornar minha fonte de renda, e hoje é. Trabalho apenas com meu canal, as redes sociais e projetos que nasceram com meus amigos com o objetivo de promover essa mudança social, com a nossa empresa, Volume, nossa festa Toda Grandona, nossa marca que leva o mesmo nome, workshops, consultorias para marcas... Nunca pensei que seria dessa maneira, mas minhas expectativas foram totalmente superadas.

> **Faça por alguém o que eu fiz por você. Ah! Use a hashtag #PareDeSeOdiar nas redes sociais que eu vou sempre estar de olho!**

Isso tudo para dizer mais uma vez: se eu consegui, você também consegue. Mas só você pode trilhar esse caminho. É íntimo, é seu.

Bom, agora é hora de nos despedirmos. Obrigada por ter vindo até aqui, por ter dado atenção ao que eu tinha para falar. Obrigada por estar comigo nessa, de verdade. De todo o coração, obrigada.

Agora você conhece a minha história, sabe como eu penso, como eu vivo e acredito nas coisas. Espero que tenha te ajudado de alguma forma. E, se ajudou, que tal fazer o mesmo com outra pessoa? Ajude uma amiga sua, alguma mulher da sua família, dê ou empreste este livro para ela e crie esse ambiente de aceitação. Faça por alguém o que eu fiz por você. Ah! Use a hashtag #PareDeSeOdiar nas redes sociais que eu vou sempre estar de olho!

Tamo junta e um beijo e um queijo com óregano em cima <3

6
AGRADECIMENTOS

Este livro só existe porque eu tenho pessoas sensacionais na minha vida. Não sabia como citá-las aqui, então a ordem é aleatória, tá? Hahaha aquela que tá nervosa com isso!

Agradeço imensamente o apoio e companheirismo de todas as pessoas citadas abaixo:

Aos meus pais, Carmen Vianna Gurgel e Geraldo Gurgel; à minha melhor amiga e dona do prefácio deste livro, Jéssica Quadros; às minhas melhores amigas, Raquel Brandão e Camila Oliveira; aos meus amigos e sócios que estão comigo todos os dias, Bernardo Boëchat, Caio Cal, Juliana Rangel, Ricardo Lima e Pillar Nunes; e a todas as pessoas, fora as já citadas, que fazem parte do meu bonde pesadão, como Bia Gremion, TatyYuki, Isabella Trad e Gabriel Pereira, que me proporcionaram a oportunidade de viver na pele a gordoridade, a irmandade entre pessoas gordas. A Debora Baldin e a Joanna Jourdan, que me deram abrigo, emprestando a casa para que eu escrevesse. A Thiago Mlaker e a Rafaella Machado, que acreditaram na importância deste livro e em mim desde o princípio.

E faço um agradecimento especial às minhas seguidoras. Sem elas este livro não existiria porque elas que me deram voz. Se eu tenho relevância na internet e oportunidade de ter uma editora maravilhosa comigo é porque cada uma das minhas seguidoras acreditou em mim, ficou comigo, engajou e evolui passo a passo.

OBRIGADA de coração <3

Este livro foi composto na tipografia Adobe
Garamond Pro, em corpo 10,5/16, e impresso
em papel off-white no Sistema Cameron da
Divisão Gráfica da Distribuidora Record.